365 HISTÓRIAS narradas com carinho

Ciranda Cultural

Dados Internacionais de Catalogação na Publicação (CIP) de acordo com ISBD

C578h Ciranda Cultural

365 Histórias narradas com carinho / Ciranda Cultural ; ilustrado por Sanjay Dhiman e Reinaldo Vignati – Jandira, SP : Ciranda Cultural, 2021.
368 p. : il. ; 15,50 cm x 22,60 cm. - (365 histórias para ler e ouvir).

ISBN: 978-65-5500-964-4

1. Literatura infantojuvenil. 2. Narração. 3. Emoções. 4. Fábulas. 5. Conto. I. Dhiman, Sanjay. II. Vignati, Reinaldo. III. Título

2021-0117 CDD 028.5
CDU 82-93

Elaborado por Lucio Feitosa - CRB-8/8803

Índice para catálogo sistemático:
1. Literatura infantojuvenil 028.5
2. Literatura infantojuvenil 82-93

Produção: Ciranda Cultural
Projeto gráfico: Imaginare Studio
Ilustrações: Sanjay Dhiman

1ª Edição em 2021
www.cirandacultural.com.br

365 HISTÓRIAS narradas com carinho

01 janeiro

UM ANO FELIZ

– Feliz ano novo! Feliz ano novo! Feliz ano novo!

O coelhinho Leco saiu de sua casa no primeiro dia do ano saltitando pelo campo, cumprimentando todos que ele encontrava. Entregava-lhes uma flor e desejava a todos um feliz ano novo.

– Que alegria, Leco! – exclamou a raposa Kika ao vê-lo.

– Sim, estou muito, muito feliz. Isso porque decidi que, neste novo ano, quero me sentir assim todos os dias, e de preferência ao lado dos meus amigos.

– Essa é uma ótima ideia! – sorriu Kika. – Eu também quero isso! Posso acompanhá-lo?

– É claro! Vamos compartilhar flores e alegria com todos para que este ano seja ótimo. Feliz ano novo!

O PASSEIO DOS INDIOZINHOS

Era uma vez dez indiozinhos que resolveram sair da aldeia e fazer um passeio em um pequeno bote.

– Vamos viver uma grande aventura – disse um deles.

Quando eles começaram a remar rio abaixo, um jacaré se aproximou, e o bote dos indiozinhos quase, quase virou.

Muito espertos, eles conseguiram retomar o controle dos remos e rapidamente chegaram à margem do rio.

– Ufa! Realmente foi uma aventura incrível. Mas, da próxima vez, seremos mais cuidadosos – afirmou um deles.

E, assim, os dez indiozinhos seguiram felizes e alegres pela margem do rio.

03 janeiro

O CARRO DE CORRIDA

Oi, meu nome é Velox. Eu sou um carro de corrida e consigo ser muito rápido.

Sempre fui ótimo nas pistas de corridas. Já venci muitas provas. Antes, eu corria para vencer; hoje, corro só para me divertir.

Antigamente, não aceitava derrotas. Para ganhar, às vezes empurrava outros carros para fora da pista. Hoje, aprendi que vencer não é tudo na vida e respeitar os outros é mais importante.

Eu também descobri que o mais importante é não colocar a vida de ninguém em risco. Por isso, hoje respeito muito mais os competidores que correm comigo.

04 janeiro

O GOLFINHO E O CAVALO-MARINHO★

Um golfinho nadava feliz no oceano, quando viu, dentro de uma concha entreaberta, uma pérola cintilante. Ele a pegou e saiu nadando depressa para esconder aquele tesouro.

Já perto de casa, o golfinho encontrou seu amigo, o cavalo-marinho.

– Olá, golfinho! Vamos brincar de pega-pega? – o cavalo-marinho perguntou.

– Desculpe, mas não tenho tempo para brincar. Quero ficar rico de verdade e, para isso, preciso encontrar coisas preciosas no oceano!

O cavalo-marinho voltou para casa triste. Afinal, o golfinho era seu melhor amigo.

★ A estrela depois de alguns títulos indica que há continuação da história na página seguinte.

O VERDADEIRO TESOURO

No dia seguinte, o golfinho saiu em busca de outros tesouros. Ele procurou por toda parte, mas não achou nada. Então, foi procurar o cavalo-marinho, pois juntos eles se divertiam muito mais.

– Cavalo-marinho, que bom ver você! Senti sua falta. Desculpe por tê-lo ignorado, eu não deveria ter feito isso.

– Ah, é? Já está rico? Você não teve tempo para mim, só para suas joias, que nem sabia se ia encontrar! Agora, fique apenas com elas! – respondeu o cavalo-marinho.

"As pessoas que você ama são mais importantes que as coisas materiais."

06 janeiro

O PIRATA CALICO JACK*

Em um lugar muito distante, havia um famoso pirata chamado John Rackham. Seu apelido era Calico Jack, e ele sempre usava roupas muito coloridas. Ele era um homem astuto e logo se tornou o capitão do navio *Treasure*, pois o comandante anterior havia fracassado em um ataque.

Quando Calico Jack se mudou para a ilha de New Providence, ele conheceu Anne Bonny e apaixonou-se por ela.

Mas esse era um romance proibido. O casal não queria se separar, então, o pirata decidiu trazer a amada para morar com ele em seu navio.

A BATALHA DO NAVIO *TREASURE*

Com medo de que o restante dos tripulantes não a aceitasse por ser uma mulher, Anne passou a se vestir como homem. No navio, havia outra mulher que se vestia como homem, a corajosa Mary Read.

Quando o governador Woodes Rogers descobriu que Calico Jack vivia um romance proibido, mandou seus homens atacarem o navio do pirata. Calico Jack e os tripulantes ficaram escondidos no porão, enquanto Anne e Mary lutavam bravamente. Infelizmente, elas não conseguiram vencer a batalha. Então, todos foram capturados, inclusive Calico Jack.

08 janeiro

O DESEJO DA GRALHA*

Há muito tempo, uma gralha desejava ser muito útil e importante. Então, Deus lhe deu um pinhão, que ela pegou cuidadosamente com o bico. Ela abriu o fruto e comeu a parte mais fina.

A outra parte, mais gordinha, ela guardou para depois, enterrando-a no solo. Porém, alguns dias depois, ela esqueceu onde havia guardado seu lanche. Contudo, percebeu que, na área onde ela havia enterrado o pinhão, crescia uma pequena araucária. Desse dia em diante, a gralha cuidou daquela árvore com todo amor e carinho.

A GRALHA AZUL

Quando a árvore cresceu e começou a dar frutos, ela comia uma parte dos pinhões e enterrava a semente, dando origem a novas araucárias. Em pouco tempo, conseguiu cobrir grande parte do estado do Paraná com milhares de pinheiros, dando origem à floresta de araucária.

Quando Deus viu o trabalho da gralha, resolveu recompensá-la, pintando suas penas da cor do céu, para que as pessoas pudessem reconhecer seu esforço e dedicação. Assim, a gralha, que era parda, tornou-se azul.

10 janeiro

O URSINHO E AS ABELHAS*

Certo dia, Teddy saiu para passear pelo bosque à procura de novos amigos e encontrou, no alto de uma árvore, várias abelhas voando ao redor de sua colmeia.

"Oba! Quantos novos amigos poderei fazer!" – Teddy pensou, subindo pelo tronco até chegar ao galho onde estava a casa das abelhas.

Assim que o ursinho acenou para cumprimentá-las, elas pensaram que ele queria derrubar a colmeia para pegar o mel que havia lá dentro. Então, para se protegerem, saíram voando juntas na direção dele. *Bzzz*! Teddy levou um susto tão grande que se desequilibrou e caiu.

11 janeiro

NOVOS AMIGOS

Quando Teddy caiu no chão, machucou a patinha e começou a chorar:

– *Snif, snif*. Eu só queria fazer novos amigos, agora acabei me machucando...

Ao ouvirem isso, as abelhas entenderam por que Teddy havia subido na árvore. Então, elas foram voando devagar até onde o ursinho estava sentado e se desculparam.

– Nós não queríamos machucar você. Estávamos apenas protegendo nossa casa. Desculpe-nos.

– Tudo bem. Será que agora podemos ser amigos?

As abelhas concordaram e se divertiram muito brincando com seu novo amigo, o ursinho Teddy.

JUCA E O CIRCO*

Era uma vez um menino chamado Juca que sonhava em conhecer o circo. Certo dia, ele ouviu um carro anunciando a chegada do Circo Fantasia em sua cidade.

Juca correu até o local em que estava armada a lona e seus olhos brilharam quando viu todo aquele mundo encantado de mágicos, palhaços e trapezistas. Mas o pobre menino não tinha dinheiro para assistir ao espetáculo, então se escondeu atrás do circo para tentar ver alguma coisa lá de fora. Enquanto esperava, Juca pegou no sono e, quando acordou, deu de cara com o dono do circo.

A AVENTURA DE JUCA

– Por favor, não brigue comigo! Meu sonho é conhecer o circo, mas não posso pagar pelo ingresso – disse Juca.

O dono do circo olhou para ele e falou:

– O que você queria fazer não é certo. Mas, se este é o seu sonho, então façamos um trato. Você substitui um dos palhaços que está doente e eu não coloco você para fora, o que acha?

Juca aceitou com gosto. Afinal, melhor do que ver o espetáculo era fazer parte dele.

O menino ensaiou com os outros palhaços e, quando as luzes do picadeiro se acenderam, Juca sentiu a magia de viver naquele mundo de encanto.

14 janeiro

SAINDO DE FÉRIAS*

Durante as férias, os primos Gustavo, Fábio e Verônica foram passar alguns dias na praia com os pais de Fábio. Eles se hospedaram em uma linda pousada à beira-mar.

– Que delícia! Não vejo a hora de tomar um banho de mar – falou Fábio.

– Eu quero fazer lindos castelos de areia – disse Verônica.

Porém, Gustavo não parecia tão empolgado com o lugar quanto os primos.

– Eu preferia ter ficado em casa jogando videogame – confessou.

O garoto não largava o computador por nada e foi um sacrifício convencê-lo a viajar, mas seus primos deram um jeito nisso.

15 janeiro

UM MUNDO ALÉM DO COMPUTADOR

– Gu, o mundo é muito mais do que jogos e internet. Vamos aproveitar este lugar lindo – aconselhou Verônica.

Nos primeiros dias, Gustavo relutou, mas, ao ver que as férias estavam acabando e ele não havia aproveitado nada, resolveu fazer uma trilha com os primos. O menino ficou encantado com as cachoeiras, os pássaros e a beleza daquele paraíso e se divertiu muito até o último dia de férias.

– Primos, muito obrigado por serem pacientes comigo e por me mostrarem que existem outras formas de diversão além do computador. Isso foi incrível!

16 janeiro

BETO

Oi! Meu nome é Beto e vivo na Zoolândia, um lugar animal! Às vezes sou um pouco distraído, mas meus amigos Gisa, Hugo, Joca e Madá estão sempre por perto para me ajudar. Com eles, sempre vivo aventuras e entro em algumas confusões. Outro dia, quase derrubei uma prateleira da seção de cristais de uma loja de departamentos! Se não fosse o Hugo, nem sei o que teria acontecido! Mas, se existe algo em que presto muita atenção, é no sentimento dos outros. Não gosto de magoar quem quer que seja.

17 janeiro

O LEÃO MUMU

Olá! Eu sou o leão Mumu.

Você sabe por que me chamam de Mumu? Pensou que é porque eu sei mugir? Não, não é! Quem muge são as vacas, não os leões. Eu me chamo Mumu porque sempre fico muito quieto, e todos acham que sou mudo.

Mas sabe por que eu sou assim? Pensou que é porque eu sou tímido? Não, não é. Apenas não gosto de perturbar os outros. Não acho legal fazer um barulhão e assustar a todos. Prefiro curtir a natureza e brincar.

O que você acha disso? Não é melhor brincar e se divertir com os nossos amigos do que ficar só esbravejando por aí?

A BARATA FAFÁ*

Era uma vez uma barata chamada Fafá, que sonhava em se casar. Certo dia, enquanto limpava a casa, Fafá achou uma moeda de ouro e ficou muito feliz. Logo arrumou-se toda e foi para a janela cantarolar:

– Quem quer se casar com a dona baratinha, que tem fita no cabelo e moeda na caixinha?

Muitos pretendentes apareceram, entre eles o cachorro, o gato e até o elefante, mas Fafá não gostou de nenhum, pois todos faziam muito barulho.

Eis que, de repente, surgiu o ratinho Dudu como candidato, e Fafá aceitou; afinal, ele preenchia todos os requisitos.

19 janeiro

O CASAMENTO DA DONA BARATINHA

De casório marcado, Fafá preparou uma feijoada para a festa. Depois, a barata foi para a igreja esperar seu noivo, Dudu, que não resistiu à panela de feijão e quis provar um pouco antes de sair de casa. Ele ficou surpreso quando caiu dentro da panela. Sorte que Fafá, cansada de esperar, voltou para casa, encontrou Dudu tentando sair da panela e o salvou.

– Prefiro ficar solteira a me casar com um rato guloso e interesseiro como você! – esbravejou ela.

Dona baratinha não se casou, mas aprendeu que era melhor ficar só do que mal-acompanhada.

20 janeiro

A CASA MAL-ASSOMBRADA*

Era uma vez uma casa com fama de mal-assombrada que despertava o medo de todas as crianças do bairro, menos do corajoso Pedrinho. A casa marrom, como era chamada, ficava no final de uma rua sem saída e era habitada por um senhor que não conversava com ninguém.

– Eu vou até lá saber por que esse senhor não fala conosco – disse Pedrinho.

– Você só pode estar maluco. E se ele for um bruxo e jogar um feitiço em você? – perguntou uma das crianças.

Mas Pedrinho não tinha medo de nada e foi bater à porta da casa marrom. Eis que o temível senhor abriu a porta e convidou o garoto para entrar.

21 janeiro

O MISTÉRIO REVELADO

As crianças que estavam do lado de fora ficaram apreensivas. Um tempo depois, Pedrinho saiu da casa, e todos quiseram saber o que havia acontecido.

– Você está bem? Ele não enfeitiçou você? – perguntou uma garota.

– Não existe feiticeiro e muito menos fantasma. O senhor José precisa de nossa ajuda. Ele quer reformar a casa, mas sua saúde não permite. Então, prometi a ele que o ajudaríamos.

Assim, as crianças se reuniram e pintaram a casa com cores vivas. Depois disso, a casa marrom perdeu sua fama de mal-assombrada e as crianças aprenderam o quanto é importante não julgar o que não se conhece.

ROSA BRANCA E ROSA VERMELHA*

Rosa Branca e Rosa Vermelha eram lindas e boas moças que viviam com a mãe viúva numa humilde cabana na floresta.

No inverno, elas ficavam junto à lareira ouvindo as histórias da mãe. Numa noite muito fria, com a neve cobrindo tudo lá fora, um urso bateu à porta. Num primeiro momento, elas se assustaram. Depois, perceberam que o urso era inofensivo e o acolheram todas as noites do inverno.

O GNOMO MAL-HUMORADO*

Quando o inverno acabou, o urso não voltou mais. As meninas foram recolher lenha e acharam um gnomo com a barba presa embaixo de uma árvore. Elas cortaram a barba dele para soltá-lo, mas o mal-educado não agradeceu, reclamou e foi embora com uma sacola de ouro.

Outro dia, elas o encontraram com a barba presa em um anzol. Elas cortaram a barba do gnomo, que foi embora reclamando com um saco de pérolas na mão. Mais uma vez, elas acharam o gnomo preso por um pássaro. Elas o salvaram e ele fugiu com um saco de pedras preciosas para dentro de uma caverna.

A APARIÇÃO DO PRÍNCIPE

Rosa Branca e Rosa Vermelha seguiram o gnomo, que escondia um tesouro dentro da caverna. Ele as mandou embora, e um urso apareceu. O gnomo fugiu para nunca mais voltar. Elas então viram que aquele era o mesmo urso que elas conheciam. De repente, um rapaz em elegantes trajes surgiu de dentro da pele do urso. Ele contou que era um príncipe que tinha sido enfeitiçado pelo gnomo malvado, que roubou o seu tesouro e o transformou em urso. O príncipe se casou com Rosa Branca, e seu irmão, com Rosa Vermelha.

25 janeiro

AS PATINHAS DA CENTOPEIA

O inverno chegou, e os animais se protegiam como podiam. A centopeia estava abrigada em sua casa, mas sentia muito frio nas patinhas.

– Dona aranha, não sei o que fazer para aquecer minhas patinhas – disse ela.

– Não se preocupe. Vou tricotar meias lindas e quentes para você – falou a aranha.

Muito prendada, a pequenina aranha fez meias para esquentar as patinhas da centopeia.

– Ficaram lindas! Agora estou totalmente protegida do frio! Muito obrigada – agradeceu a centopeia.

As amigas passaram o inverno todo juntas e aquecidas, até a primavera dar o ar de sua graça.

O CRAVO E A ROSA*

Era uma vez um jardim repleto de todos os tipos de flores. Lá, viviam um cravo e uma rosa que eram muito amigos.

– Que dia gostoso e ensolarado faz hoje, não, cravo?

– Sim, rosa. Os raios de sol vieram para aquecer suas pétalas.

Mas, naquela manhã, o jardim estava cheio de beija-flores colhendo néctar para se alimentarem. Um beija-flor ficou encantado com a beleza da rosa e se aproximou:

– Que linda rosa com pétalas reluzentes sob o sol!

– Muito obrigada, simpático beija-flor – agradeceu a rosa.

Após o elogio, o pássaro bateu as asas rapidamente e foi embora.

27 janeiro

O CRAVO BRIGOU COM A ROSA

O cravo não gostou do que viu, sentiu-se ferido e brigou com a rosa, que ficou com o coração despedaçado. De tão triste, o cravo ficou doente e até desmaiou, fazendo a rosa chorar.

Então, ela resolveu fazer uma serenata para curar o seu amigo e cantou uma linda canção para ele:

– Cravo, não chore mais, eu estou aqui e não vou lhe deixar jamais.

O cravo ficou feliz e resolveu perdoar a rosa, e o jardim ficou em festa porque eles decidiram se casar. Assim, o cravo e a rosa, além de amigos, tornaram-se um lindo casal e viveram felizes para sempre.

28 janeiro

POLEGARZINHA*

Era uma vez uma mulher que queria muito ter um filho bem pequeno. Então, ela pediu ajuda a uma feiticeira, que lhe deu uma semente mágica.

A semente foi plantada e, alguns dias depois, nasceu uma linda flor. Nela, havia uma menina bem pequena, que recebeu o nome de Polegarzinha.

Certo dia, um velho sapo viu Polegarzinha e logo pensou que ela seria a noiva ideal para o seu filho. Então, o sapo a levou para morar com eles no brejo. Ao descobrir as intenções do sapo, a menina ficou triste, pois não queria se casar com o filho dele.

RECEBENDO AJUDA★

Por sorte, os peixinhos resolveram ajudá-la. Eles a levaram para bem longe daqueles sapos. De repente, um besouro aproximou-se de Polegarzinha. Ele a levou para o topo de uma árvore, pois achou Polegarzinha linda. Porém, ao ouvir outros besouros discordando de sua atitude, ele a libertou.

O inverno chegou. Polegarzinha estava sozinha e não tinha nada para comer. Ao sair à procura de alimento, ela encontrou a toca de um velho rato, que lhe deu abrigo, desde que a menina o ajudasse nas tarefas de casa.

A ANDORINHA*

A toupeira-macho, amiga do rato, ficou interessada em casar-se com Polegarzinha e a convidou para um passeio.

Enquanto caminhavam, a menina avistou uma andorinha machucada e com muito frio. Polegarzinha cuidou dela durante alguns dias. Ao ficar curada, a andorinha convidou a amiga para ir com ela à floresta. Polegarzinha não queria magoar o rato. Então, emocionada, despediu-se da amiga.

– Daqui a quatro semanas será o seu casamento com o meu grande amigo – disse o rato.

Ao ouvir isso, a menina começou a chorar.

31 janeiro

POLEGARZINHA VAI SE CASAR!

Quando o grande dia chegou, Polegarzinha estava muito triste, pois teria de morar embaixo da terra e nunca mais poderia ver a luz do sol.

De repente, a andorinha surgiu no céu e convidou a amiga para ir a um país quente, pois o inverno estava chegando novamente.

Sem pensar muito, Polegarzinha subiu nas costas da amiga e foi embora daquele lugar.

Quando chegaram a um país quente, Polegarzinha teve uma grande surpresa: conheceu um lindo príncipe, que a pediu em casamento. A menina tornou-se a rainha das flores e viveu feliz para sempre.

O RATINHO E O CACHORRO*

Em uma bela tarde, um ratinho passou em frente a uma casa e sentiu um cheiro delicioso de queijo. Como estava à procura de algo para comer, ele resolveu entrar.

Mas naquela casa morava uma senhora muito esperta. Ela havia espalhado ratoeiras por todo canto. Quando o ratinho faminto passou por debaixo da porta, *plaft*! Ficou preso em uma das ratoeiras!

– Oh, não! E agora, como sairei daqui? – perguntou-se preocupado. E quanto mais se mexia, mais ele ficava preso.

HORA DO RESGATE!

O cachorro da senhora escutou o pequenino se debatendo e foi até lá desarmar a ratoeira. Alegre, o ratinho lhe agradeceu e partiu.

Dias depois, o ratinho estava passeando perto da mesma casa, quando ouviu o cachorro latindo. A carrocinha estava prestes a levá-lo!

Então, o pequenino decidiu agir. Depressa, ele escalou a cerca, saltou no ombro do homem que segurava o cão e o mordeu! O homem deu um grito e soltou a guia que prendia o cachorro, que finalmente pôde voltar feliz para o seu lar.

"Uma boa ação sempre gera outra boa ação."

GISA

Olá! Meu nome é Gisa. Sou a mais velha (e mais esperta, he-he) da turminha da Zoolândia. Às vezes, sou um pouco autoritária, mas não é por mal. Só quero que meus amigos sejam tão responsáveis quanto eu aprendi a ser. Quando meus amigos precisam pesquisar algo, sabem que podem contar comigo. Sou muito boa em buscar informações no Poogle, o site de busca da Zoolândia. Com ele, consigo descobrir qualquer coisa. Ah, Além de pesquisar no computador, eu leio livros e revistas para estar sempre muito bem-informada.

HUGO

Oi! Meu nome é Hugo e sou um ursinho. Meus amigos dizem que sou um pouco medroso. Só porque tenho medo de bicho-papão, de barata e me assusto com o seu Manoel, o leão-marinho, dono da padaria (ele parece muito bravo e tem cara de poucos amigos).

Outro dia, minha mãe pediu para eu comprar um pão doce na padaria. Fiquei apavorado! Mas foi nesse dia que descobri que o seu Manoel não é bravo. Ele adora crianças e dá balas para quem visita seu estabelecimento! Ainda assim, eu me assusto com ele de vez em quando!

O PRIMEIRO DIA DE AULA*

Fabi adorava pintar e desenhar. Mal podia esperar pelo primeiro dia de aula, apesar do receio de ficar longe da mãe.

– Mamãe, e se eu não gostar da escola? – perguntou Fabi.

– Filha, você vai adorar lá! Além de aprender, vai fazer muitos amigos e brincar – respondeu a mãe da menina.

O dia tão esperado chegou. Fabi acordou cedo, tomou café e foi com sua mãe para a escola. Quando chegou ao portão de entrada, ela sentiu um frio na barriga, mas sua mamãe lhe deu um forte abraço. Assim, Fabi recuperou a coragem e entrou feliz pelo pátio.

A FELICIDADE DE FABI

Fabi conheceu sua professora, fez amigos, aprendeu as letras e desenhou lindas flores em seu primeiro dia de aula. Na hora de ir embora, sua mãe a esperava no portão.

– Filha, que saudade! Como foi? Você gostou? – perguntou, curiosa.

– Mamãe, eu adorei! Fiz muitas coisas legais e até sei o que quero ser quando crescer: uma professora muito inteligente, igual à minha – respondeu Fabi, cheia de felicidade.

A mãe da garota ficou muito contente. Fabi acordava todos os dias cheia de vontade de ir à escola.

PASSEIO AO MUSEU

Joca, Madá, Hugo, Gisa e Beto foram ao museu. Gisa foi a guia:

– Joca, não corra! Você pode se machucar. Madá, não coma biscoitos de polvilho, vai sujar todo o museu. Hugo, não grite! O segurança vai chamar sua atenção. Beto, cuidado com a mochila, não derrube nada.

– E você, Gisa, não pode fazer o quê? – disseram em coro os amigos.

– Eu não posso me descuidar de vocês!

08 fevereiro

O LOBISOMEM

Certa vez, uma mãe de sete filhos homens teve o último bebê enfeitiçado. Ao crescer, ele se transformava em lobisomem nas noites de lua cheia. Percorria as roças e vilas soltando uivos de dar calafrios, invadia os galinheiros e perseguia outros animais. Mas, quando surgiam os primeiros raios de sol, ele voltava ao normal. O feitiço só se desfez quando alguém bateu em sua cabeça com força. Assim, a vila voltou a ter paz e ficou livre daquela criatura.

ALICE NO PAÍS DAS MARAVILHAS

Durante um piquenique no jardim, Alice seguiu um coelho que passou correndo por ali. De repente, ela caiu num buraco, que a levou para o País das Maravilhas. Lá, Alice encolheu, ficou gigante, conheceu muitos animais, tomou chá com o Chapeleiro Maluco e foi até julgada pela Rainha de Copas.

Durante o julgamento, Alice se irritou com as cartas de baralho que estavam presentes. Então, as cartas voaram na direção da garota, que acordou assustada e percebeu que tudo não havia passado de um incrível sonho.

10 fevereiro

MEDO DE QUÊ?

O rato tinha medo do gato. O gato tinha medo do cachorro. O cachorro tinha medo do leão. O leão tinha medo do escuro.

O rato, por ter medo do gato, só saía para procurar comida à noite. Então, certa vez, em meio à escuridão, encontrou algo na mata e… nhac!

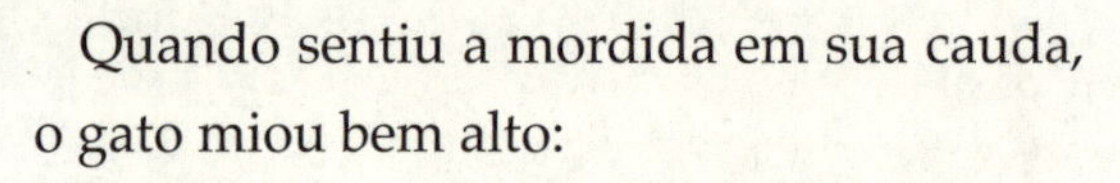

Quando sentiu a mordida em sua cauda, o gato miou bem alto:

– Miaau!

O cachorro acordou assustado e começou a latir:

– Au, au, au!

Ao ouvir aquele barulho, o leão soltou um forte rugido:

– Roaaar!

Naquela noite, o rato, o gato, o cachorro e o leão não dormiram de tanto medo, mas não sabiam de quê.

11 fevereiro

O HERÓI DO LAGO

O sapo Mô estava sentado na beira do lago, quando ouviu uma voz vindo de algum lugar não muito distante. Parecia alguém pedindo ajuda. Mô saiu saltitando pela margem até chegar ao outro lado, onde a tartaruga Raia estava se debatendo sobre um grande lírio-d'água.

– Socorro! Uma alga enroscou em minha pata, e eu não consigo soltar.

Mô deu um grande salto em direção à tartaruga. Então, usou um graveto para puxá-la de volta à margem e, depois, tirou a alga que havia enroscado na pata dela. Assim, Mô se tornou o grande herói do lago.

CAVALO DE TROIA*

Para lutar na Guerra de Troia, o rei Odisseu deixou sua família em Ítaca. A guerra já durava anos, e Troia não era derrotada. Odisseu preparou um plano e convenceu os guerreiros a pô-lo em prática antes de se renderem. Com a desculpa de dar um prêmio pela vitória dos troianos, os gregos construíram um gigantesco cavalo de madeira e o deixaram na entrada da cidade. Os adversários caíram na armadilha e aceitaram o presente. Os gregos estavam escondidos dentro do cavalo. Eles se aproveitaram do descuido dos inimigos e tomaram Troia.

O TAPETE DE PENÉLOPE

Durante os vinte anos de ausência de Odisseu, sua esposa, Penélope, disse que só se casaria novamente depois que terminasse de tecer um tapete. Ela o tecia de dia e o desmanchava à noite, para ganhar tempo. Até que um dia seus pretendentes descobriram o plano e obrigaram a moça a se casar. Então, ela resolveu lançar um desafio: quem conseguisse colocar a corda no antigo arco de Odisseu e atravessar uma flecha por dentro de doze anéis alinhados seria seu novo marido. Todos tentaram, até que Odisseu, disfarçado de mendigo, conseguiu voltar para casa e vencer o desafio. Assim, o rei de Ítaca foi reconhecido e reencontrou sua rainha.

14 fevereiro

O GALO E A RAPOSA*

Todas as manhãs, o galo subia no telhado do celeiro para observar a paisagem. Ali, ele também vigiava o galinheiro, para que pudesse avisar as galinhas caso algum animal suspeito se aproximasse. Então, certa manhã, uma esperta e faminta raposa se aproximou dizendo:

– Galo, querido galo! Você soube da novidade? Foi decretada uma lei entre os animais que diz que galos e raposas devem ser grandes companheiros. Por isso, desça já desse poleiro para eu lhe cumprimentar.

O galo achou aquilo muito estranho, pois não ouvira nada a respeito. Mas como poderia se livrar da raposa?

ESCAPANDO DA RAPOSA

O galo, então, teve uma ideia e falou:

– Que boa notícia! Deve ser por isso que estou vendo dois amigos galos correndo lá no pomar. Acho que vão contar aos outros animais!

Faminta, a raposa saiu correndo para encontrar os dois galos.

O galo saiu de seu poleiro e foi direto ao galinheiro para se certificar de que todas as suas amigas galinhas estavam seguras.

Já a raposa, no pomar, encontrou apenas algumas maçãs ainda verdes.

Moral da história: quem se acha esperto para enganar, com sua tolice também pode ser enganado.

A NOVA PIPA DO TATAU*

Tatau estava muito animado com sua nova pipa e, logo cedo, saiu correndo para brincar no campo. Quando viram o amigo com aquela pipa colorida, Lino e Malu foram ao encontro dele.

– Poxa, que linda, Tatau! Podemos brincar também? – eles disseram.

– Não! Esta pipa é minha, só minha! Se quiserem, podem ficar aí olhando – falou Tatau.

Lino e Malu ficaram muito tristes ao ouvir aquilo de seu amigo e foram brincar em outro lugar.

Tatau ficou ali brincando sozinho por algum tempo.

17 fevereiro

BRINCANDO JUNTOS

Lino e Malu estavam se divertindo na beira do riacho, espalhando água por toda parte, quando Tatau se aproximou deles.

– Posso brincar com vocês?

– Ué, você não queria brincar com a sua pipa? A nossa brincadeira também é legal. Se quiser, pode ficar aí olhando – Malu respondeu, chateada.

– Desculpem – Tatau falou. – Eu deveria ter deixado vocês brincarem. Não foi certo o que eu fiz. Se quiserem, podemos empinar pipa juntos agora. O que acham?

– Vai ser demais! – Lino disse. – Mas você me ajuda?

– É claro! Empinar pipa com vocês vai ser muito mais legal! – exclamou Tatau.

O MISTÉRIO DAS PRINCESAS*

Era uma vez um rei que morava com suas doze filhas. Todas as noites, alguma coisa muito estranha acontecia naquele castelo: as princesas iam dormir e, no dia seguinte, os sapatos delas estavam gastos. Muito preocupado, o rei anunciou que, se algum homem descobrisse como isso acontecia, poderia escolher uma das princesas para se casar.

Claro que muitos rapazes tentaram, mas nenhum deles conseguiu desvendar aquele mistério.

Certo dia, um jovem rapaz apareceu diante do rei disposto a fazer de tudo para descobrir o segredo das princesas.

UM RAPAZ MUITO ESPERTO*

O que as princesas não sabiam era que uma mulher havia oferecido ao rapaz uma capa que o deixava invisível.

Quando anoiteceu, as princesas, muito inteligentes, foram até ele e lhe ofereceram uma bebida para que ele sentisse sono e não conseguisse segui-las. Ele aceitou a bebida, mas, disfarçadamente, jogou-a fora. Em seguida, fingiu que estava com muito sono.

Pensando que o rapaz já estava dormindo, as princesas vestiram suas roupas de bailarina e seguiram para um lugar secreto, cuja entrada ficava no quarto delas.

20 fevereiro

AS PRINCESAS DANÇARINAS

Rapidamente, o rapaz levantou-se, colocou sua capa e seguiu as princesas. Assim, ele finalmente desvendou o segredo delas: todas as noites, as princesas saíam para dançar com doze príncipes. Como dançavam até o amanhecer, os sapatos delas ficavam gastos.

Quando o rei mandou chamar o jovem rapaz, ele contou o segredo das princesas, que não podiam mais esconder a história e confirmaram o que ele havia dito ao pai delas.

Sendo assim, o jovem rapaz pôde escolher uma das princesas para se casar, como o rei havia lhe prometido.

A CASINHA DA FORMIGA

A formiga Bela procurava uma casa para morar. Ela olhou por todos os cantos até encontrar o lugar ideal debaixo de um pedaço de madeira.

– Aqui está perfeito! Não tem umidade e é confortável – disse a formiguinha.

Mas sua felicidade acabou quando ela viu que a casa, além de estar infestada de cupins, também era habitada por uma lagartixa, que colocou a formiguinha para correr. Então, só lhe restou cantar:

– Fui morar numa casinha-nha infestada-da de cupim-pim--pim. Saiu de lá-lá-lá uma lagartixa-xa, olhou pra mim, olhou pra mim e fez assim: buuu!

22 fevereiro

VIAGEM AO CENTRO DA TERRA*

Um geólogo alemão, professor Lidenbrock, junto com o sobrinho Axel, decifrou um pergaminho que havia encontrado. O documento trazia a informação de que era possível viajar ao centro da Terra a partir da Islândia.

Lidenbrock, ignorando as ressalvas de Axel, partiu para a incrível aventura. O sobrinho, mesmo temeroso, acompanhou o tio.

A JORNADA*

Lidenbrock e Axel contrataram o islandês Hans como guia e chegaram ao Monte Sneffels, a suposta entrada para o centro da Terra. Eles desceram a chaminé vulcânica pela cratera e se depararam com quatro caminhos. Depois de escolherem um deles, caminharam bastante, e a água para beber acabou.

O grupo resolveu retornar à encruzilhada e escolher um novo caminho. Felizmente, encontraram água.

24 fevereiro

AS ADVERSIDADES*

Após dias de caminhada, eles chegaram a uma grande extensão subterrânea de água, que denominaram de Mar Central.

A expedição encontrou uma espécie de floresta, além de ossos de animais pré-históricos, plantas e vida animal. Hans fez uma embarcação e o grupo cruzou aquelas águas. Incrivelmente, ocorreu uma tempestade e, para completar, uma erupção vulcânica.

O RETORNO

Axel desmaiou e só acordou depois da erupção, amparado por Hans, já do lado de fora. Fantasticamente, sem ferimentos e vivos, os homens tinham sido lançados para longe do centro da Terra. Um pastor informou-lhes que estavam na ilha de Stromboli, na Itália.

Ao retornarem à sua terra natal, os exploradores foram aclamados, e a sociedade científica alemã reconheceu os feitos do professor Lidenbrock.

26 fevereiro

SAPEQUINHA

Eu sou a boneca Sapequinha. Sempre encontro diversas maneiras de me divertir.

Sou chamada de boneca sapeca porque gosto muito de pular, correr, dançar...

Minha brincadeira predileta é colorir com tinta. Arrumo todas as cores lado a lado, depois pego o pincel e vou espalhando as tintas por toda a folha. Às vezes, eu pinto desenhos que já estão no papel, mas o que gosto mesmo é de criar figuras.

Depois de brincar bastante, guardo tudo em seu devido lugar. Afinal, sou sapeca, mas não sou bagunceira!

JOÃO E O PÉ DE FEIJÃO*

Após perderem o valioso tesouro da família para um gigante, João e sua mãe passaram a viver com muita dificuldade. Eles possuíam apenas uma vaca bem magrinha.

Certo dia, vendo que não tinham o que comer, a mãe de João pediu para que ele fosse até a cidade vender a vaquinha. Mas, no caminho, João resolveu trocá-la por feijões mágicos. Quando chegou em casa, sua mãe ficou furiosa e jogou os feijões pela janela.

Tal foi a surpresa de João quando acordou no outro dia e encontrou um pé de feijão gigante, que ia até o céu!

A AVENTURA NA TERRA DO GIGANTE

João subiu no pé de feijão e chegou a um enorme castelo, onde estava o gigante e todo o tesouro roubado. Ele logo pegou o baú com as moedas de ouro e saiu correndo. Furioso, o gigante foi atrás dele dizendo que iria comê-lo, mas João desceu ligeiro pelo pé de feijão.

Chegando ao solo, o menino pegou um machado e começou a cortar o pé de feijão. Ao sentir a árvore balançando, o gigante não teve escolha, a não ser voltar para seu castelo. João recuperou o tesouro da família e viveu feliz para sempre com sua mãe.

PEDRO E O LOBO*

Era uma vez um jovem pastor de ovelhas chamado Pedro. Todos os dias, ele levava suas ovelhas às montanhas para pastoreá-las.

Certo dia, Pedro resolveu fazer uma brincadeira com os moradores da aldeia. Porém, o que ele achava que seria brincadeira não foi tão legal assim.

– Um lobo, um lobo! – gritou Pedro, saindo correndo das montanhas.

Os moradores, apreensivos, foram até o menino para socorrê-lo. Porém, ao chegarem lá, encontram-no rolando no chão de tanto rir.

Todos foram embora muito zangados.

O LOBO!

No dia seguinte, Pedro fez a mesma coisa, e os vizinhos correram para ajudá-lo, em vão.

Alguns dias depois, enquanto Pedro estava pastoreando as ovelhas, um lobo de verdade apareceu e ele gritou:

– Socorro! Socorro! Um lobo! Preciso de ajuda!

Será que os vizinhos saíram correndo para ajudá-lo?

Não. Desta vez, Pedro não teve ajuda, pois os moradores da aldeia pensaram que era mais uma brincadeira sem graça do menino.

Sem ajuda, Pedro não pôde fazer nada. Então, o lobo conseguiu atacar várias ovelhas.

03 março

ABIGAIL, UMA FADINHA SEM VARINHA

Abigail era uma fadinha que não via a hora de completar 15 anos para finalmente ganhar a sua varinha mágica.

– Eu gostaria que minha varinha tivesse um formato especial e uma cor impressionante – ela falou para sua amiga Malu.

Finalmente, Malu ganhou sua varinha, mas Abigail não recebeu nada. Quando colocou a mão no rosto para esconder que iria começar a chorar, faíscas mágicas brilharam diante de seu nariz. Que surpresa! Para fazer seus encantamentos, Abigail não precisava de uma varinha, pois tinha um nariz encantado!

UM PEQUENO ACIDENTE*

Em um dia ensolarado, dona Joana abriu a janela de seu quarto e colocou, no parapeito, o vaso com a flor que havia ganhado no dia anterior.

"Aqui, minha linda flor poderá receber um pouco da luz do sol e permanecer linda por mais tempo"– Juju pensou. Então, foi ao mercado.

Enquanto isso, Rubinho, seu filho, saiu para o quintal a fim de brincar com sua bola de futebol. Ele deu um drible aqui, outro lá, fez um lançamento perfeito e... CRASH!

– Oh, não! O vaso da mamãe! E agora? Não posso contar que quebrei o vaso. Ela vai ficar furiosa!

05 março

CONSEQUÊNCIAS

Quando voltou do mercado, a mãe de Rubinho achou estranho vê-lo sentado na sala em um dia ensolarado como aquele.

– Ah, mamãe – Rubinho já se adiantou. – Eu estava aqui na sala e ouvi um barulho vindo do seu quarto. Quando entrei lá, o vaso já estava no chão.

– Deve ter sido o vento – ela comentou. – Que pena!

À tarde, Rubinho foi brincar com Nando.

– Ufa! Achei que fosse levar a maior bronca por ter quebrado o vaso da minha mãe, mas ela nem desconfiou – disse Rubinho.

– Rubinho! – a mãe dele falou pela janela. – Não me importo por você ter quebrado o vaso, mas, por ter contado uma mentira, ficará uns dias sem futebol!

O CAVALO E AS MERCADORIAS*

Certa manhã, um comerciante que morava no campo orientou seu melhor cavalo para que levasse as mercadorias até a cidade em seu lugar.

No meio do caminho, o animal estava com dor nas costas e parou para descansar. Quando se deitou, ficou com muita preguiça de continuar a trotar. Somente um cochilo não foi suficiente. Então, ele voltou ao estábulo, deixou as mercadorias em um canto e se deitou entre a palha. Enquanto ele dava suas primeiras piscadelas, pensou:

"Não vai fazer mal se eu levar as mercadorias depois."

MAIS ENTREGAS

Naquela tarde, o comerciante precisou novamente do cavalo para levar outra mercadoria a uma cidade vizinha. Em vez de uma, agora o cavalo tinha duas encomendas para entregar.

O animal ficou preocupado. Como ele entregaria tudo aquilo a tempo? Ele resolveu começar pelo pacote que havia guardado enquanto dormia. Quando retornou, já havia mais uma entrega para fazer. Cada vez que voltava para continuar as entregas, apareciam mais e mais mercadorias atrasadas. No fim do dia, ele estava realmente cansado.

"Não deixe para amanhã o que pode fazer hoje."

A CIGARRA E A FORMIGA

Enquanto a formiga trabalhava todos os dias do verão estocando alimento para o inverno, a cigarra cantava alegremente.

Quando os dias ficaram frios e as folhas verdes secaram, a cigarra não tinha o que comer. Então, foi procurar a vizinha formiga.

– Formiga, por favor, ajude-me. Não tenho o que comer.

– O que você fez durante o verão? Você não guardou nada?

– Eu fiquei cantando e me divertindo – respondeu a cigarra.

– Ah, ficou? Pois então, continue cantando! – disse a formiga.

Moral da história: quem não sabe manter o equilíbrio entre o trabalho e o lazer fica sem ter o que comer.

09 março

O PRIMEIRO BOLO

Tadeu resolveu fazer um bolo de cenoura, e sua mãe o ajudou. Ele descascou e picou as cenouras, colocou-as no liquidificador com o óleo, os ovos e uma pitada de sal. A mamãe ligou o liquidificador e o ajudou a colocar o líquido em uma tigela.

Então, Tadeu colocou o açúcar, a farinha e o fermento. O coelhinho untou a forma com óleo e a deixou branquinha com um pouco de farinha. Depois, ele colocou a massa na forma, e a mamãe a colocou no forno. Tadeu fez a cobertura, colocou no bolo pronto e nem esperou esfriar para comer. Hummm, ficou uma delícia!

ROBINSON CRUSOÉ*

Robinson Crusoé era um jovem marinheiro inglês que viajava em um navio. Certo dia, uma forte tempestade naufragou sua embarcação, e toda a tripulação morreu, exceto Crusoé, que ficou encalhado numa ilha do Caribe.

Para sobreviver, Robinson buscou por mantimentos no navio naufragado e construiu uma fortaleza de madeira na praia e uma casa embrenhada na selva. Ele plantou alguns grãos de cereais que havia encontrado no navio e fez ferramentas, mesa, cadeira e tudo o mais de que precisava para sobreviver. Durante vinte e cinco anos, Robinson viveu solitário.

11 março

A NOVA VIDA DE ROBINSON CRUSOÉ

Certo dia, Robinson encontrou uma pegada e, então, percebeu que não estava sozinho na ilha. Descobriu uma tribo de canibais e começou a conviver com um deles, dando-lhe o nome de Sexta-Feira.

A princípio, Robinson tentou escravizar o canibal, mas tornaram-se amigos depois. Após muitos anos na ilha, Robinson encontrou o barco que o levou de volta à Inglaterra, deixando na ilha alguns espanhóis. Depois de muitas outras aventuras, Robinson voltou à ilha, que agora estava habitada, e viveu lá o resto de seus dias.

12 março

O NEGRINHO DO PASTOREIO

Certa vez, um menino escravo que cuidava de animais numa estância do Sul, cansado de tanto trabalhar, adormeceu. De manhã, ele viu que os animais haviam fugido. O patrão, furioso, castigou o negrinho tão duramente que ele acabou morrendo. Após três dias, o patrão voltou para vê-lo e teve uma grande surpresa: o negrinho estava vivo ao lado da tropa. O patrão endoideceu e sumiu.

Hoje, o povo acredita que lá nos céus, entre as nuvens, o negrinho pastoreia a sua tropa, galopando no infinito azul.

13 março

O LEÃO ASTRONAUTA

Giba, o rei da selva, sonhava em ir à Lua.

– Tenho certeza de que o macaco Caco poderá me ajudar. Ele é inteligente e construirá um foguete para me levar até lá – disse.

E não é que o macaco construiu o tal do foguete? Ele juntou peças de tudo que era achado na floresta e fez uma bela construção.

– Está tudo pronto para sua decolagem. Ainda hoje você pisará na Lua, rei leão – disse-lhe Caco.

Com tudo pronto, Giba partiu para realizar seu sonho. Ele visitou a Lua e, quando voltou, além de rei, tornou-se o primeiro da floresta a fazer uma viagem espacial.

O MEDO DE JOÃOZINHO*

Joãozinho era um menino inteligente, mas tinha poucos amigos. Na escola, ele vivia quieto e sozinho, não se enturmava com os demais colegas, mesmo quando os outros meninos o chamavam para brincar.

– Vamos jogar basquete, Joãozinho? – convidava Pablo.

– Não, muito obrigado, vou ficar aqui no canto da quadra – era sempre a resposta de João.

Ninguém entendia por que um garoto tão esperto e inteligente não gostava de brincar com as outras crianças. Afinal, Joãozinho sempre tirava as melhores notas da sala e era muito educado com todos.

O FIM DO MISTÉRIO

Certo dia, Pablo foi tomar água e viu Joãozinho jogando bola sozinho, então perguntou:

– Joãozinho, por que você não gosta de brincar com a gente?

– Ah, Pablo, eu tenho vergonha, pois não sei jogar tão bem quanto vocês – respondeu o garoto.

– Que é isso, amigo! Ninguém nasce sabendo, todos nós aprendemos, e você também é capaz. Se quiser, podemos lhe ensinar, o importante é se divertir – falou Pablo.

Assim, Joãozinho deixou o medo de lado e se juntou aos meninos. Daquele dia em diante, ele não sentiu mais vergonha e passou a brincar com as outras crianças.

A VAQUINHA CONFEITEIRA

Zizi adorava fazer bolos para os bichinhos da fazenda.

– Hoje vamos saborear um delicioso bolo de chocolate – disse a vaca.

– Hummm, eu amo chocolate – falou a galinha Giselda.

Zizi juntou os ingredientes e começou a fazer o bolo. Logo, outros animais foram ajudá-la. A ovelha levou morangos para o recheio; a pata, granulados para a cobertura; e a dona abelha ofereceu algumas rosas para enfeitar. Não demorou muito para o bolo ficar pronto e todos comerem.

– Como é gostoso ver todos vocês felizes com as guloseimas que eu faço – comemorou Zizi.

ZECA, O CAVALO DE GUERRA

O sonho de Zeca era participar de uma guerra.

– Você não tem nada mais interessante para sonhar? – perguntou a vaca Zizi.

– E tem coisa mais legal do que acompanhar os homens em incríveis lutas e salvá-los do inimigo?

Mas a vaca o advertiu:

– Acho que você está vendo muito filme de bangue-bangue pela janela da casa do fazendeiro, Zeca. Você não acha que poderia perder a vida na guerra?

– Poxa, eu não tinha pensado nisso. Melhor participar apenas de cabos de guerra!

O MÁGICO DE OZ*

A doce Dorothy embarcou numa aventura ao ser carregada por um ciclone para a incrível Terra de Oz. Lá, foi presenteada pela Bruxa Boa do Norte com lindos sapatos prateados e aconselhada a ir até o Mágico de Oz, o único que poderia ajudá-la a voltar para casa.

No caminho, ela fez amigos que a acompanharam, esperançosos de que o Mágico também pudesse ajudá-los.

O Espantalho sonhava em ter um cérebro, o Homem de Lata desejava um coração, e o Leão covarde almejava coragem.

REALIZANDO DESEJOS

Ao encontrarem o Mágico de Oz, descobriram que ele era apenas um visitante do mundo real, assim como Dorothy, e só levou a fama de mágico porque chegou à Cidade das Esmeraldas em um balão.

Os viajantes ficaram tristes por não terem seus desejos realizados, mas o Mágico explicou que tudo o que eles queriam estava dentro de cada um. Então, os quatro amigos perceberam que bastava acreditar em seu potencial. Assim, Dorothy despediu-se dos amigos e voltou feliz por viver essa incrível história.

AS ESTAÇÕES DO ANO*

Um dia, as quatro estações se reuniram para falar sobre suas qualidades.

– Quando chego, eu encanto com as flores e cores. Isso sem contar que as pessoas ficam mais românticas na minha época – afirmou a Primavera.

O Outono também falou sobre os benefícios que ele proporcionava:

– Na minha vez, as folhas começam a cair e as noites se tornam mais longas para as pessoas aproveitarem melhor seu sono. E, como chego logo após o Verão, todos ficam felizes com a minha brisa fresca.

Cada estação tinha suas qualidades e cada uma se orgulhava muito disso.

FRIO E CALOR

O Verão disse o quanto ele era querido:

– Tudo se torna mais divertido quando eu reino. As pessoas ficam dispostas, os dias são longos e todos aproveitam as praias e os parques.

O Inverno também não ficou de fora e, mesmo sendo uma estação fria, sabia de suas qualidades.

– Elegância e companheirismo, essas palavras me resumem. Na minha vez, as pessoas se vestem com bom gosto e, o melhor, se reúnem para se aquecer e aproveitar os momentos entre amigos e familiares.

Assim, cada estação chegava na hora certa e alegrava as pessoas de formas diferentes.

22 março

OS PEIXES LISTRADOS ESTÃO CHEGANDO!*

Teleco estava animado com a novidade que tinha para contar:

– Pessoal, vocês não sabem o que vai acontecer! A banda Peixes Listrados vai fazer um show no recife de corais! Não acredito que poderemos vê-los de pertinho!

– Ei, calma, Teleco! Fale devagar! – disse Nico. – Eles nem são tão legais assim...

Já Pitico ficou tão animado quanto Teleco e começou a fazer várias perguntas:

– Quando vai ser? A que horas? Quais músicas eles vão tocar?

Nico logo percebeu que aquele seria o assunto dos próximos dias...

23 março

CONTAGEM REGRESSIVA

Durante duas semanas, Teleco e Pitico só falaram sobre o show dos Peixes Listrados. Todos os dias, eles marcavam e contavam no calendário quanto ainda faltava para verem sua banda favorita. Nico só os observava, achando tudo aquilo uma bobeira.

No dia do show, os três peixinhos foram ao recife de corais. Quando a música começou a tocar, Nico deixou-se levar pela animação e se divertiu muito com Teleco e Pitico.

Enquanto voltavam para casa, Nico confessou:

– Se os Peixes Listrados fizerem outro show, vou com vocês!

A PRINCESA E A ERVILHA*

Num reino muito rico, o príncipe procurava uma princesa para se casar. Seguindo os conselhos de sua mãe, ele desejava uma garota sensível, educada e elegante, e, mesmo conhecendo muitas moças, ele não gostou de nenhuma.

Numa noite de forte tempestade, uma garota bateu à porta do castelo pedindo abrigo e dizendo ser uma princesa. O rei, apesar de desconfiado, abrigou a moça suja e ensopada. A moça se recompôs, e o príncipe notou sua beleza e elegância, mas a rainha logo tentou descobrir se ela dizia a verdade.

UMA NOITE LONGA

Ao arrumar o quarto para a princesa passar a noite, a rainha pediu aos servos que colocassem vários colchões sobre a cama e uma pequena ervilha embaixo deles. Sem saber de nada, a princesa sentiu um incômodo quando se deitou e mal dormiu.

No dia seguinte, ao ser questionada pela rainha se havia dormido bem, a moça foi sincera ao dizer que algo sob os colchões atrapalhou seu sono. A rainha, então, acreditou na nobreza dela, e o príncipe casou-se com a princesa. E até hoje a famosa ervilha fica exposta no museu do castelo.

FAZENDINHA

Olá! Eu sou a boneca Fazendinha. Gosto muito de passear na fazenda da vovó.

Lá, há muitas árvores, algumas têm flores coloridas, e em outras podemos encontrar frutas fresquinhas.

Na fazenda da vovó, há também vários animais, grandes e pequenos. Bois, cavalos, patos, galinhas, e também o Totó, o cãozinho do vovô.

Todos os lugares na fazenda são bem limpos, ninguém joga lixo no chão. Isso é importante, pois precisamos cuidar da natureza.

Passear e apreciar as belezas da natureza é a minha diversão favorita!

27 março

A INDIAZINHA MANI

Uma índia tupi deu à luz uma indiazinha de pele bem branca e a chamou de Mani. Um dia, a menina ficou doente. O pajé foi chamado e fez vários rituais para salvá-la, mas nada adiantou, e a menina morreu. Os pais dela a enterraram dentro da própria oca, como era o costume. Eles regaram o local no qual a menina tinha sido enterrada com muitas lágrimas. Depois de alguns dias, nasceu uma planta cuja raiz era marrom por fora e bem branquinha por dentro. Ela ganhou o nome de mandioca, ou seja, uma junção de Mani e oca.

28 março

UM DIA CHEIO*

Lila era uma ovelhinha muito simpática e brincalhona, mas também era um pouco descuidada e distraída. Ela estava sempre bem disposta e pronta para brincar.

Certa vez, Lila teve um dia muito complicado. Quando estava brincando de esconde-esconde com seus irmãos, ela se acomodou atrás de um arbusto, mas a terra estava molhada. Lila acabou escorregando e caindo dentro do rio! Assustada, ela começou a gritar sem parar. Seus irmãos viram o que havia acontecido e depressa chamaram a mamãe para ajudar Lila. Coitadinha, ficou toda molhada!

29 março

UM SUSTO ENORME

Depois que saiu do lago, Lila foi correr pelos campos e se distraiu de tal maneira que se esqueceu das recomendações de que não deveria se aproximar do bosque, pois havia um lobo rondando a fazenda.

Lila levou mais um susto enorme quando se deparou com o grande lobo saindo do bosque e caminhando em sua direção. Por sorte, ao se virar para começar a correr, Lila encontrou seu pai. Protegida ao lado dele, ela voltou para junto das outras ovelhas e carneiros da fazenda.

Depois disso, Lila achou melhor ficar quietinha em casa com sua família.

30 março

A GALINHA RUIVA*

Era uma vez uma galinha ruiva que morava em uma fazenda com os seus pintinhos. Nessa fazenda, havia plantação de laranja, banana e também um grande milharal.

Quando a época da colheita chegou, a galinha ruiva pensou:

"Humm! Com um pouco desse milho, eu posso fazer um bolo delicioso. Todos da fazenda irão adorar."

Então, rapidamente, a galinha foi pedir ajuda aos seus amigos para colher as espigas.

– Vocês poderiam me ajudar? – perguntou a galinha para o porco, a vaca, o cachorro e o gato. Todos balançaram a cabeça, dizendo que não.

31 março

UM BOLO QUENTINHO SAINDO DO FORNO

Todos disseram que estavam muito ocupados.

A galinha, então, decidiu fazer tudo sozinha: colheu o milho, tirou a casca, transformou os grãos em farinha e fez o bolo.

Logo, aquele cheirinho gostoso de bolo espalhou-se pela fazenda. O porco, a vaca, o gato e o cachorro ficaram aguardando atentamente.

Ao perceber, a galinha ruiva perguntou:

– Qual de vocês me ajudou a colher as espigas e a preparar o bolo?

Eles ficaram bem quietinhos. E a galinha continuou:

– Então, somente eu e meus filhinhos iremos saborear este delicioso bolo.

01 abril

A RAPOSA E A CEGONHA★

Certa vez, a raposa convidou a cegonha para jantar. Mas na hora de servir a sopa, a raposa quis pregar uma peça na grande ave e colocou sobre a mesa dois pratos rasos.

A raposa conseguiu tomar a sopa facilmente, mas o bico comprido da cegonha não permitiu que ela pudesse ao menos provar a sopa. Ela não reclamou nem fez comentário algum, mas naquela noite voltou para casa com fome. A raposa, por sua vez, perguntou se havia algum problema com a comida, como se não tivesse percebido a dificuldade da cegonha, mas depois riu da situação.

02 abril

O JANTAR DA CEGONHA

A cegonha convidou a raposa para jantar em sua casa. A raposa chegou faminta, já imaginando o que seria servido, mas, quando se aproximou da mesa, viu dois jarros com o gargalo fino e bem comprido. A cegonha conseguiu se alimentar sem dificuldade, mas o focinho da raposa não passava no gargalo, e ela teve de contentar-se com algumas gotas. Naquela noite, a raposa voltou para casa com fome.

Moral da história: trate o próximo como você gostaria de ser tratado.

03 abril

O CHOCOLATE DA BORBOLETA★

Era uma linda manhã de primavera, e a borboletinha Juju acordou muito animada, pois receberia a visita de sua madrinha naquele dia.

– Iupi! Vou para a cozinha fazer doces de chocolate bem gostosos para a madrinha – disse Juju.

Ela separou os ingredientes e começou a fazer deliciosos bombons, pirulitos e musses, tudo com muito amor e carinho.

– A madrinha vai adorar os doces que estou preparando para ela. Tem que estar tudo perfeito.

Depois de muitas horas na cozinha, Juju terminou as guloseimas e foi se arrumar para receber a esperada visita.

O PÁSSARO ESPERTO

Quando terminou de se aprontar, Juju foi até a cozinha e encontrou seu vizinho pássaro comendo os doces que ela havia feito.

– Esses chocolates são para a minha madrinha, passarinho. Não é correto pegar as coisas dos outros sem pedir – falou Juju.

– Perdoe-me, mas eu não resisti. Prometo não fazer mais isso – disse o pássaro cara de pau.

A borboletinha Juju viu que ele havia aprendido a lição e lhe deu alguns doces. Por sorte, sobrou um pouco, pois a madrinha da borboletinha chegou em seguida, e as duas aproveitaram uma deliciosa tarde juntas.

05 abril

O COELHO TININHO★

Era uma vez um coelho de olhos vermelhos, pelo branquinho e orelhas bem grandes chamado Tininho. Ele vivia pulando pelas ruas do bairro ao lado da floresta. Durante um de seus passeios, Tininho viu uma enorme horta no quintal da casa da esquina.

"Que maravilha, as cenouras dessa horta devem ser deliciosas!" – pensou ele.

Sem hesitar, o coelho pulou por cima da cerca e caiu feito um gato sobre a plantação de cenouras. Mas ouviu um latido e logo viu um enorme cachorro parado à sua frente:

– O que você quer aqui? – disse o grandão.

06 abril

TUDO POR UMA CENOURA

Tininho, assustado, depressa respondeu:

– Faço tudo por uma cenoura. Eu pulo para frente, eu pulo para trás, dou mil cambalhotas, assim fico forte demais – disse Tininho.

O cachorro achou o coelho engraçado e o deixou pegar algumas cenouras. Tininho devorou uma delas rapidamente, o que lhe causou certo desconforto. Chegando em casa, ele entregou as outras cenouras à sua mãe e desabafou:

– Comi uma cenoura com casca e tudo. Tão grande ela era que fiquei barrigudo.

Foi assim que Tininho aprendeu que o ideal é se alimentar sempre com calma.

OS PRESENTES DO COELHO

Era uma vez um coelho muito generoso que vivia em uma grande floresta. Todos os dias, ele distribuía ovos coloridos aos bichinhos.

– Coelhinho, o que trazes para mim? – perguntou o esquilo.

– Hoje, eu trago um ovo, dois ovos, três ovos assim – disse o coelho, entregando lindos ovos ao pequeno.

Quando chegou na toca da raposa, ela falou:

– Coelhinho da floresta, você tem ovos de quais cores?

– Azul, amarelo e vermelho também – respondeu o coelho alegremente.

E, assim, ele deixou o dia dos bichinhos da floresta muito mais colorido e divertido.

08 abril

MADÁ

Olá! Eu sou a Madá e moro na Zoolândia. Estou sempre com meus amigos, principalmente a Gisa. Não gosto de ver ninguém triste por perto. Por isso, estou sempre pronta para animar meus amigos e espantar a tristeza. Eu gosto muito de dançar, atuar e ler. Sou uma artista! Ao contrário da Gisa, que gosta de enciclopédias e dicionários, eu prefiro ler romances. As histórias de que mais gosto são aquelas cheias de amor. Gosto muito de ir à biblioteca, mas não dispenso um passeio ao cinema, ao teatro e à lanchonete.

09 abril

AGRADANDO O REI*

Em um reino bem distante, havia um moleiro que vivia com sua adorável filha.

Certo dia, ele resolveu ir até o palácio do rei para contar que tinha uma filha capaz de transformar palha em ouro.

O rei, muito admirado, pediu que ele a levasse para seu palácio.

No dia seguinte, o moleiro levou a filha até o rei, que disse à moça:

– Seu pai contou-me uma história e desejo saber se é verdade. Por isso, você ficará trancada em uma sala e só sairá de lá quando transformar toda a palha em ouro. Se não fizer o que foi prometido, será castigada.

TRANSFORMANDO PALHA EM OURO*

A jovem estava trancada no quarto repleto de palha quando, de repente, um homenzinho, parecido com um duende, surgiu e disse:

– Linda moça, posso ajudá-la a cumprir o que foi prometido ao rei, mas quando você tiver um filho, deverá entregá-lo a mim.

A moça, desesperada, aceitou a proposta.

No dia seguinte, o rei teve uma grande surpresa: ao abrir a porta da sala, encontrou ouro em vez de palha.

E assim, como recompensa, o rei casou-se com a filha do moleiro. Alguns meses depois, a moça, agora rainha, ficou grávida de seu primeiro filho.

11 abril

RUMPELSTILTSKIN

Logo que o bebê nasceu, o duende foi ao palácio buscá-lo. A rainha pediu que ele não levasse seu filhinho. O duende desistiu do acordo, mas disse:

– Para ficar com o bebê, você terá de adivinhar o meu nome em três dias.

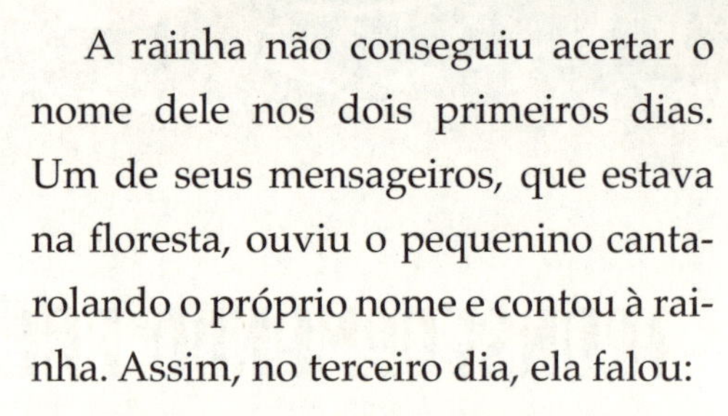

A rainha não conseguiu acertar o nome dele nos dois primeiros dias. Um de seus mensageiros, que estava na floresta, ouviu o pequenino cantarolando o próprio nome e contou à rainha. Assim, no terceiro dia, ela falou:

– Seu nome é Rumpelstiltskin.

Furioso e surpreso, ele saiu voando pela janela e nunca mais voltou.

CAMINHÃO

Olá, eu sou o Caminhão.

Dia e noite, trabalho bastante, quase sem parar. Transporto de tudo um pouco, depende da necessidade: morangos, laranjas, cana, madeira...

Toda vez que alguém precisa levar muitas coisas de um lugar a outro, estou pronto para ajudar!

Viajo por várias estradas em todo o país, às vezes vejo acidentes que me deixam muito triste. Mas vejo também lindas paisagens deste nosso Brasil maravilhoso.

Isto é o que mais gosto em viajar: sempre conhecer lugares novos. Há tantas coisas lindas para se ver nas nossas estradas!

13 abril

O PEQUENO TOBI*

Em uma grande cidade, o cãozinho Tobi vivia alegremente no quintal da casa de Rafael. Todos os dias, o garotinho passava horas brincando com Tobi de manhã e, à tarde, ia para a escola. Como Rafael só voltava no fim do dia, Tobi se divertia sozinho no quintal: corria atrás da própria cauda, enterrava brinquedos, roía ossos...

Porém, um dia Tobi estava inquieto e, quando viu Rafael entrar na van e partir, percebeu que o portão da rua havia ficado aberto. Aquilo era como um convite para uma grande aventura!

14 abril

UM CÃOZINHO AVENTUREIRO

Tobi correu depressa e passou pelo portão entreaberto. Uau! Quantas coisas interessantes havia do lado de fora do quintal! Pessoas, carros, casas coloridas, prédios... Encantado com tantas novidades, Tobi foi parar no meio da rua.

FOOOOM! Um carro buzinou diante do seu focinho, dando uma freada brusca.

Tobi ficou apavorado. Queria voltar para casa. Mas qual era o caminho?

O cãozinho caminhou sem rumo por algum tempo até encontrar a sua casa. O portão ainda estava aberto. Aquela havia sido uma aventura e tanto, mas, por enquanto, ele ainda preferia brincar no quintal.

15 abril

AS DUAS CRIADAS RESMUNGONAS*

Era uma vez uma senhora muito zelosa e econômica que gostava de deixar sua casa impecavelmente limpa. Para isso, ela tinha duas criadas que acordavam todos os dias com o cantar do galo para trabalhar arduamente.

– Não aguento mais limpar esta casa – dizia uma delas.

– Não sei por que temos que fazer as mesmas coisas. Se limpamos ontem, hoje ainda está tudo limpo – resmungava a outra.

A dona da casa supervisionava o trabalho das duas de perto.

– Meninas, está tudo limpo e arrumado? Não quero ver nada fora do lugar, hein?! – dizia com firmeza.

UM PLANO QUE NÃO DEU CERTO

Cansadas daquela vida, elas tiveram uma ideia:

– Vamos sumir com o galo, assim ele não canta e nós dormiremos mais – disseram.

Então, as duas levaram o galo para bem longe. No outro dia, elas comemoraram o plano enquanto a dona da casa estava furiosa.

Mas, na madrugada seguinte, as criadas se assustaram ao serem acordadas mais cedo ainda, com o dia por nascer:

– Vamos, levantem! Como não temos mais o galo, vocês vão acordar na hora que eu quiser – disse a dona da casa.

Depois disso, as criadas nunca mais pensaram em um plano para trabalhar menos.

17 abril

A TARTARUGA E A LEBRE

Havia uma lebre que sempre dizia ser o animal mais veloz. Até que a tartaruga a desafiou para uma corrida.

A raposa foi escolhida para ser a juíza. Ao sinal da largada, a lebre saiu em disparada, e a tartaruga foi rastejando lentamente.

A lebre, quando abriu uma grande vantagem, resolveu tirar um cochilo. Mas dormiu demais...

Quando acordou, a tartaruga já estava próxima do final do percurso.

A lebre correu e correu, mas quem passou primeiro pela linha de chegada foi a tartaruga!

Moral da história: devagar se chega longe.

18 abril

OLHA O PASSARINHO!

Madá foi fazer sua carteirinha da biblioteca. Joel, o atendente pelicano, disse que ia tirar sua foto digital para identificação. Depois de tirá-la, mostrou para Madá, que perguntou:

– Estou bonita?

– Está linda! – respondeu o atendente. – Prontinho! Agora, você vai poder pegar muitos livros emprestados.

– Pode deixar, eu adoro ler! – concluiu Madá.

NOVOS VIZINHOS★

Escondido entre as folhas e a lama, vivia o jacaré Bambão. Naquela parte do pântano não havia outros animais, então Bambão se acostumou a viver sozinho. Até que, um dia, um casal de passarinhos fez seu ninho no alto de uma árvore, e logo nasceram três lindos filhotes. Não demorou para os pequeninos aprenderem a voar e passarem a se aventurar em voos rasantes. Muito animados, os três passarinhos cantavam e brincavam o dia todo.

"Já não aguento mais todo esse barulho e agitação. Preciso dar um jeito nisso"– Bambão pensou.

NEM TÃO MALVADO ASSIM...

Certa vez, os três passarinhos pousaram à procura de minhocas. Bambão se aproximou deles lentamente e abriu sua enorme boca. Quando viram aqueles dentes pontudos, os passarinhos ficaram tão apavorados que nem conseguiram se mexer. Ao vê-los tão assustados, Bambão fechou a boca devagar e se afastou.

Felizes pelo grande jacaré ter poupado a vida deles, os três irmãos pegaram pequenos gravetos floridos e levaram para Bambão, que sorriu pela primeira vez. E esse foi o início de uma linda amizade entre um jacaré ranzinza e três alegres passarinhos.

21 abril

BRANCA DE NEVE*

Lindos cabelos negros e pele branquinha. Assim era Branca de Neve.

Dona de uma beleza incomparável, Branca de Neve despertou a ira de sua madrasta, que não aceitava que ninguém fosse mais bonita que ela.

Diante disso, ela ordenou a um caçador que matasse a princesa, mas ele não teve coragem e apenas abandonou Branca de Neve na floresta, inventando uma mentira para a madrasta.

Lá, a princesa conheceu sete simpáticos anões que a abrigaram em sua casa.

UM FINAL FELIZ

Não demorou muito para a madrasta má descobrir que Branca de Neve estava viva. Muito brava, a madrasta foi à floresta, disfarçada, e ofereceu uma maçã envenenada à princesa.

Branca de Neve, muito inocente, comeu a maçã e adormeceu. Os anões pensaram que ela havia morrido. Então colocaram a moça em um esquife de vidro e levaram-na para as colinas.

Depois de muito tempo, um lindo príncipe apareceu e despertou Branca de Neve com um beijo, e eles viveram muito felizes, longe da madrasta malvada.

23 abril

AMIGUINHA

Oi! Eu sou a boneca Amiguinha. Sou muito divertida, adoro estrelas brilhantes e gosto muito de estar com meus amigos.

Com eles, posso sair para passear na praça, no bosque... Sempre nos divertimos muito quando estamos juntos. Todas as brincadeiras ficam mais legais.

Eu sempre empresto meus brinquedos aos meus amigos. Eles me emprestam os deles também. Assim, sempre encontramos maneiras diferentes de brincar.

Juntos, nós conversamos e damos muitas risadas.

Ah! Como é bom ter amigos!

LIMÃOZINHO

Oi! Eu sou a boneca Limãozinho e gosto muito de comer frutas. Abacaxi, manga, banana, morango, ameixa, abacate, jaca e tantas outras. Hummm! Todas são deliciosas!

É muito bom quando a mamãe faz suco de laranja, salada de frutas, vitamina de maçã... As frutas parecem combinar com tudo: leite, aveia, cereal... Até um bolo com frutas fica delicioso.

Além de serem muito gostosas, as frutas são boas para a saúde. Elas têm vitaminas que ajudam no meu crescimento e evitam que eu fique dodói. Minha saúde agradece!

A HISTÓRIA DO MILHO

Uma tribo passava por muita dificuldade, pois não havia caça nem pesca. O velho cacique, sentindo que ia morrer, reuniu os homens e disse para que eles o enterrassem em uma cova bem rasa, cobrissem-no com palha seca e pouca terra, e esperassem a chegada do sol e da chuva. Ali nasceria alimento para todos. Assim foi feito e, sobre a cova do velho guerreiro, apareceu uma planta de folhas compridas e flor vistosa. Então, a tribo descobriu que sua espiga podia ser consumida. E, assim, surgiu o milho.

O COELHINHO JOCA

Para cá, para lá... Oi! Eu sou o Joca. Tenho vários amigos na Zoolândia e adoro me mexer! Não paro um minuto sequer! Às vezes, a turma diz que sou muito agitado, mas eles sempre me chamam para participar de todas as brincadeiras. Eu adoro esportes radicais, andar de bicicleta, skate, patins. Minha aula preferida na escola é Educação Física. Eu acho difícil ficar quieto, sentado e concentrado na lição. Mas eu me esforço bastante e, com a ajuda dos amigos, sempre consigo ter bons resultados em todas as aulas!

27 abril

A FORMIGA VERDE*

Era uma vez uma formiga chamada Lola. Diferente das demais, a formiguinha era verde como a grama. Lola gostava de andar pelo jardim, passear, colher alimentos e estava sempre ajudando a todos, mesmo os que caçoavam de sua cor.

– Lá vem a Lola! Mas, cadê? Xiii, acho que se perdeu em meio a todas as folhas – brincava a cigarra Jurema.

– Pode caçoar, cigarra. O importante é que sou feliz! – respondia Lola.

Mesmo com as gozações, a formiga não perdia seu brilho e sabia que o fato de ser diferente não fazia dela melhor nem pior do que os outros.

AJUDANDO UMA AMIGA

Certo dia, Lola saiu para passear e encontrou uma joaninha muito triste. Então perguntou:

– Por que está chateada, pequenina?

– Ninguém quer brincar comigo só porque as bolinhas nas minhas asas são amarelas, e não pretas como as de todas as outras joaninhas – respondeu a pequena.

Lola sabia o que a joaninha estava sentindo e disse:

– Não se preocupe com o que dizem sobre você. O importante é o que você é por dentro, e não a sua aparência. Venha ser feliz, pequenina!

Assim, as duas se tornaram grandes amigas, e todos os insetos aprenderam a respeitá-las como elas eram.

29 abril

BEM ESCONDIDA

– 1, 2, 3...

Enquanto a coruja Lila contava, seus irmãos correram entre as árvores para se esconderem. Mimi tentou a árvore oca e os arbustos, mas já estavam ocupados. Então, a pequenina voou até uma árvore bem alta e se escondeu dentro de um ninho vazio.

Lila e seus irmãos ficaram muito preocupados, pois não encontraram a pequenina. Por fim, uma águia que passava por ali comentou:

– Não sei se é quem vocês estão procurando, mas vi uma corujinha em um ninho lá no pinheiro.

Rapidamente, todos foram para lá e encontraram a irmã caçula dormindo!

A MULA SEM CABEÇA

Um padre apaixonou-se por uma linda moça. Ele deixou a batina para viver com ela, mas a sogra do rapaz avisou-lhes que a mulher que se casasse com um padre se transformaria em uma mula sem cabeça. Eles a ignoraram e casaram-se. Na noite de núpcias, a moça se tornou uma mula com fogo no lugar da cabeça e saiu para aterrorizar as pessoas do povoado. O noivo a alcançou, montou nela e tirou-lhe o cabresto de metal. Então, ela voltou a ser moça, e viveram bem por muito tempo.

01 maio

O RATO DO CAMPO E O RATO DA CIDADE

Quando o rato da cidade foi visitar o seu amigo rato que morava no campo, ele não gostou de comer apenas ervas e vegetais. Então, chamou seu amigo para viver na cidade. O rato do campo aceitou.

Na casa do rato da cidade, havia carnes, queijos e outras delícias, mas também um gato e um cozinheiro que os perseguia. Ao saber disso, o rato do campo logo arrumou suas malas e disse ao amigo:

– Prefiro comer milho e ervas no campo a comer carnes e queijos na cidade, mas não viver em paz.

Moral da história: mais vale a paz de espírito do que todas as riquezas.

ESTRELINHA

Olá! Eu sou a boneca Estrelinha e tenho esse nome porque sou o pontinho mais brilhante no céu à noite.

Durante o dia, eu passeio, visito meus amiguinhos e faço as tarefas da escola. A mamãe disse que é muito importante fazer os deveres escolares, assim eu vou me tornar mais inteligente ainda.

Quando alguma criança tem dificuldade para aprender uma lição, ela pede a minha ajuda, e eu mando um raio de luz para clarear os pensamentos dela.

Assim, eu fico feliz em ajudá-la e brilho cada vez mais!

A PEQUENA SEREIA

Uma encantadora sereia que vivia nas profundezas do mar subiu à superfície e viu um príncipe festejando seu aniversário em um navio.

Durante a festa, uma tempestade afundou o navio, mas ela conseguiu salvar o rapaz, deixando-o em um lugar seguro antes de voltar ao mar. Apaixonada, a pequena sereia pediu a uma sereia mágica que a transformasse em humana para que encontrasse seu amado.

Muito feliz, ela foi ao castelo do príncipe e revelou que o havia salvado. Grato e apaixonado, ele a pediu em casamento, e eles viveram felizes para sempre.

DIAS NA FAZENDA

Gisele e André estavam muito empolgados quando chegaram à fazenda do avô, próximo a uma pequena cidade do interior. Os dois irmãos só resmungavam um pouco quando o galo cantava no terreiro, bem cedinho, pois sempre queriam dormir mais um pouco. Mas quando lembravam que iriam tirar leite da vaca para tomar café da manhã, depois alimentar as galinhas e mais tarde passear a cavalo, logo saltavam da cama. Gisele e André se tornaram amigos de Olívia, que morava na fazenda ao lado. Juntos, os três brincaram e se divertiram muito!

05 maio

A VISITA

Beto encontrou Gisa e comentou:

– O Joca não foi à escola hoje. O que pode ter acontecido?

– Vamos descobrir indo até a casa dele – disse Gisa.

A mãe do Joca informou-lhes que ele estava doente. Nem parecia o amigo agitado que conheciam, deitado na cama abatido.

– Não é tão ruim. Mamãe fez meu prato favorito – confidenciou o coelhinho.

– Mas você não pôde ir à escola – disse Gisa consternada.

– Por isso mesmo, não é tão ruim.

– Só você mesmo, Joca – disse Beto balançando a cabeça.

06 maio

BRINCANDO DE SER GENTE GRANDE

Thiago e Carol entraram animados no quarto de seus pais, pois iriam desfilar na festa da escola vestidos de adultos.

Thiago vestiu um terno e uma gravata. Carol colocou um vestido azul, óculos escuros e pegou uma bolsa vermelha, sua preferida.

– Vou para a empresa agora – Thiago sorriu, engrossando a voz.

– Quando eu voltar do trabalho, pego as crianças na escola – disse Carol, imitando a fala da mãe.

Os dois irmãos se divertiram muito durante a festa, mas antes de dormir confessaram:

– Ser adulto deve ser muito legal, mas, por enquanto, preferimos ser crianças!

A ÍNDIA QUE VIROU FLOR

Para alguns índios, toda vez que a Lua se esconde, ela leva consigo uma jovem e a transforma em estrela.

Uma índia sonhava em ser levada pela Lua para se tornar estrela. Toda noite, ela subia no alto das montanhas, na esperança de ser notada pela Lua. Numa noite, ela viu o reflexo da Lua no lago, atirou-se nas águas e desapareceu. Triste, a Lua resolveu transformar a índia numa linda planta aquática: a vitória-régia, que tem flores que abrem somente à noite e exala um agradável perfume.

ALADIM

Havia um menino chamado Aladim que morava com a mãe.

Certo dia, enquanto Aladim brincava com alguns amigos, um homem aproximou-se dele, dizendo que era seu tio. Deu-lhe presentes e se ofereceu para jantar na casa do garoto.

A mãe de Aladim achou a história um pouco estranha, pois não sabia que seu marido, já falecido, tinha um irmão. Mesmo assim, preparou o jantar para receber o tal tio de Aladim.

Durante o jantar, o homem disse que queria muito protegê-los. Então, convidou Aladim para ser o seu ajudante.

DENTRO DA CAVERNA*

Assim, alguns dias depois, eles partiram em direção a um vale. Lá, pararam em frente a uma caverna. O homem, então, disse a Aladim:

– Dentro dessa caverna, há um tesouro que nos deixará muito ricos.

Aladim estava com medo, mas, ao ouvir falar da fortuna, encheu-se de coragem.

O homem disse que Aladim teria de descer as escadas, abrir uma porta, atravessar três salões e, quando chegasse a um pomar, encontraria uma lâmpada mágica.

Aladim fez exatamente o que o tio lhe dissera e, durante o caminho, pegou outras coisas que achou interessante.

O GÊNIO DA LÂMPADA

Quando voltou, pediu ajuda ao homem:

– Tio, ajude-me a subir.

– Primeiro a lâmpada – disse o homem.

Ao perceber que Aladim não atenderia ao seu pedido, o homem disse algumas palavras mágicas, e uma grande pedra fechou a caverna.

Muito assustado, o garoto, sem querer, esfregou as mãos na lâmpada mágica. De repente, um gênio saiu de dentro dela, dizendo que Aladim poderia pedir o que quisesse. Aladim pediu que o tirasse dali. Depois pediu muitas riquezas, assim poderia casar-se com a filha do sultão, por quem era apaixonado. E seus desejos foram realizados.

FESTA NA FAZENDA

Os bichos resolveram fazer uma grande festa na fazenda, eles só esperaram o fazendeiro sair para começar a festança. Eram luzes para cá, violão para lá e comida à vontade.

Mas eles esqueceram de trancar a porta do estábulo, e o fazendeiro voltou de repente, pegando todos de surpresa. Pensando que levariam uma bronca, começaram a juntar tudo, mas o fazendeiro logo disse:

– Agora que eu cheguei, vocês vão parar? Não! Quero dançar até o sol raiar.

E, assim, eles se divertiram juntos, sem precisar inventar mentiras.

COELHINHO PERDIDO*

O coelhinho Nero era o filhote mais novo da família de coelhos. Muito curioso, ele acompanhava seus irmãos por toda parte e imitava tudo o que faziam.

Porém, certa vez, Nero falou aos seus irmãos que já era grande o bastante para passear sozinho. Então, disse que iria explorar lugares novos e voltaria antes do anoitecer.

Nero saiu saltitando pelos campos, cheirando as plantas e cumprimentando os passarinhos. Ele estava tão feliz que não prestou atenção no caminho. Então, depois de já ter andado e saltado bastante, ele resolveu voltar para casa; mas por onde?

13 maio

VOLTANDO PARA CASA

Já estava ficando tarde e, por mais que tentasse, Nero não conseguia se lembrar do caminho de volta para casa.

De repente, ouviu um barulho vindo de trás de uma árvore: era seu irmão Lero! Ele havia acompanhado o irmão caçula de longe por todo o passeio, mas o pequenino estava tão distraído que nem percebeu.

Ao voltar para casa, o pequenino contou a todos sobre sua aventura, mas por fim confessou:

– Conhecer lugares diferentes é muito bom, mas estar junto da minha família é melhor ainda!

14 maio

O GATO DE BOTAS★

Era uma vez um moleiro que deixou como herança aos dois filhos mais velhos, que o ajudavam muito, o moinho e os burros; e ao mais novo, que era inteligente, porém preguiçoso, deixou seu gato. O rapaz não gostou, mas logo descobriu que, além de falar, o bicho era muito esperto.

Depois de ganhar um par de botas, o gato prometeu ao seu dono que o ajudaria a melhorar de vida. Para isso, o bichano passou a presentear o rei com animais que caçava na floresta, dizendo que eram uma oferta de seu mestre, o marquês de Carabás.

15 maio

AS PERIPÉCIAS DO GATO DE BOTAS

Certo dia, o gato escondeu a roupa do rapaz enquanto ele tomava banho no rio e disse ao rei, que estava passando por ali com a princesa, que o marquês havia sido roubado. Enquanto o jovem era socorrido, o gato foi até o castelo de um ogro e o desafiou a se transformar em um rato. Quando isso aconteceu, o bichano o devorou.

Assim, o gato apresentou o castelo como sendo do marquês, o que encantou ainda mais o rei e a princesa. O rapaz, apaixonado, pediu a moça em casamento e, graças ao gato, os dois viveram felizes para sempre.

ROBIN HOOD★

O príncipe John da Inglaterra aproveitou que seu irmão, rei Ricardo, estava nas Cruzadas e assumiu o trono. O filho do barão Locksley, Robin, também estava participando das batalhas, quando foi feito prisioneiro. Ao fugir e chegar em casa, o rapaz descobriu que seu pai havia sido assassinado e seu castelo estava em ruínas.

Um grupo de homens da aldeia havia fugido para a floresta para escapar dos abusos do príncipe John. Robin, que era um excelente arqueiro, juntou-se a eles contra o tirano e passou a ser conhecido como Robin Hood.

17 maio

A VITÓRIA DE ROBIN HOOD

Robin Hood conheceu Maid Marian, sobrinha do rei Ricardo, e se apaixonou por ela. O justiceiro roubava dos ricos para devolver aos pobres, que tinham que pagar altos impostos cobrados pelo príncipe. Por muito tempo, Robin viveu dessa maneira sem que o falso rei soubesse.

Até que, certo dia, na batalha final, ele derrotou o malfeitor e pôde casar-se com sua amada. Durante a cerimônia, Ricardo ressurgiu. O verdadeiro rei teve seu trono de volta e Robin, sua posição entre os nobres.

PEDIDO DE SOCORRO*

– Socorro, pessoal! Socorro! – gritava o cavalo-marinho, saindo do navio naufragado.

– O que houve, pequenino? – perguntou um baiacu que passava por ali. – Viu um fantasma?

– Não, não... meu... amigo... preso... – o pequenino mal conseguia falar.

– Acalme-se – falou o peixe-palhaço, aproximando-se. – Fale devagar o que houve.

O cavalo-marinho pensou um pouco e depois falou:

– Meu amigo, Paco, ficou preso dentro do navio. Eu preciso encontrar alguém que me ajude a tirá-lo de lá!

– Pois então, já encontrou!

19 maio

O GRANDE RESGATE

O peixe-palhaço e o baiacu depressa acompanharam o cavalo-marinho para dentro do navio naufragado. O peixinho dourado estava debaixo de uma viga de madeira que havia se rompido. Infelizmente, a viga era muito pesada, e eles não conseguiram levantá-la.

Ao verem aquela movimentação, outros animais também decidiram ajudar: vários peixes e até um polvo!

Assim, quando todos se uniram, eles tiveram forças o bastante para libertar o peixinho dourado. Ao verem o pequenino sair nadando, todos comemoraram.

20 maio

MUITAS TARTARUGUINHAS

Depois de uma longa viagem, a mamãe tartaruga chegou à areia da praia. Ela só tinha passado por ali uma vez. Tranquilamente, fez um buraco onde a água não pudesse alcançar e ali depositou os seus ovinhos. Depois, ela os cobriu com areia para que ficassem quentinhos e voltou para o mar.

Algum tempo depois, os ovos começaram a rachar. Um a um, os filhotes saíram dos ovos e caminharam em direção à água.

Daqui a muitos anos, as fêmeas voltarão àquele mesmo lugar para deixar também os seus ovinhos, como fez a outra mamãe tartaruga. É o ciclo da vida.

APRENDENDO COM LETRINHA

A boneca Letrinha é inteligente e adora ensinar suas amigas. Sempre que possível, ela reúne todas para tirar dúvidas e compartilhar conhecimento.

– Letrinha, eu consegui fazer tudo na aula de língua portuguesa! Ainda bem que você me ajudou com as dúvidas que eu tinha – agradeceu Coraçãozinho.

– E eu consegui acertar todo o ditado depois que você me aconselhou a ler mais – disse Florzinha.

Letrinha ficava muito feliz em ajudá-las e sua recompensa era vê-las progredindo e aprendendo.

– Podem contar comigo sempre! – falou a bonequinha.

O VIAJANTE DO TEMPO*

Um inventor do século 19, o Viajante do Tempo, expôs suas ideias para alguns amigos e apresentou-lhes um protótipo que desapareceu diante deles, indo para o futuro. Ele combinou um novo encontro para a semana seguinte, depois de lhes mostrar a máquina em tamanho real.

De repente, para a surpresa dos convidados, na data marcada, o Viajante chegou em farrapos e parecendo mais velho. Depois de se recompor, ele contou muitas coisas inacreditáveis.

O FUTURO*

O Viajante do Tempo contou que tinha viajado para o século 80. Lá ele encontrou um povo de feições delicadas e jeito amistoso denominado Elois, que tinha uma dieta simples à base de frutas e viviam em harmonia.

Quando sua máquina do tempo desapareceu, o Viajante descobriu que nem tudo era perfeito naquele incrível mundo. Logo percebeu que os Elois não eram os únicos habitantes daquele lugar do futuro. Havia os Morlocks, que habitavam o subterrâneo e guardavam um terrível segredo.

24 maio

O FUTURO SINISTRO

O Viajante descobriu que os Morlocks se alimentavam da carne dos Elois e temiam a luz. Tendo essa informação, ele causou um incêndio que apavorou os Morlocks e, assim, conseguiu escapar.

Por fim, ele descobriu que a máquina do tempo estava dentro do pedestal de uma esfinge. Ela tinha caído em uma armadilha das criaturas. Então, o Viajante acionou a máquina do tempo e partiu para milhares de anos no futuro e pôde contemplar a devastação da Terra. Então, retornou para sua época, junto de seus amigos. Mas, não muito tempo depois, o Viajante partiu com sua máquina e nunca mais voltou!

A ASSEMBLEIA DOS RATOS

Em uma grande casa, um gato enorme sempre assustava os ratos que moravam em um buraco na parede. Se algum ratinho saísse para passear, VUPT! O gato aparecia querendo seu jantar.

Então, um dia, os ratos se reuniram para discutir esse assunto, e um deles deu uma sugestão:

– E se colocássemos um sino no pescoço do gato? Assim saberíamos quando ele está se aproximando!

– Que ótima ideia! Mas quem fará isso?

Ninguém respondeu.

Moral da história: falar é fácil, difícil é fazer o que se fala.

O CAVALO ENCANTADO

Antigamente, no Sul do país, vivia a mais bela índia. Um jovem da tribo, passando perto de uma lagoa, viu um magnífico cavalo, como se estivesse à espera de ser laçado. O jovem pensou em levá-lo para a bela índia e, assim, conquistar o seu amor. Aproximou-se e montou-o de um salto. O cavalo disparou em direção à lagoa, desaparecendo para sempre.

A índia, ao saber do ocorrido, foi até a beira da lagoa chorar pelo jovem desaparecido. Dizem que chorou tanto que suas lágrimas deixaram a lagoa salgada.

O CORVO E O QUEIJO

Ao encontrar um grande pedaço de queijo em um galho, o corvo pousou ali para pegá-lo. Pouco depois, uma raposa apareceu:

– Olá, corvo! Como você está bonito! Tão belo como sua voz. Será que você poderia cantar um pouco para eu ouvir?

Orgulhoso com os elogios da raposa, o corvo abriu o bico e soltou um grasnido desafinado. Ao mesmo tempo, o pedaço de queijo que ele estava segurando caiu direto na boca da raposa, que foi embora satisfeita.

Moral da história: é preciso tomar cuidado com quem muito elogia.

RECANTO DOS SENTIMENTOS*

Era uma vez um lugar mágico chamado Recanto dos Sentimentos. Lá, viviam o Amor, o Carinho, a Felicidade, a Amizade, a Esperança, entre tantos outros sentimentos bons.

Todos os dias, o Recanto mandava para as pessoas na Terra uma determinada quantidade de cada um desses moradores.

– Hoje vamos dobrar a quantidade de sentimentos que serão enviados – disse o rei do Recanto. Todos ficaram muito felizes, menos o Amor, que estava quietinho e sozinho em um canto. Ele nem se manifestou diante da novidade.

SÁBIA ESPERANÇA

A Esperança achou estranho um sentimento tão lindo não ter ficado feliz com aquela notícia e perguntou:

– Amor, por que está triste?

– Ah, Esperança, algumas pessoas não abrem o coração para me receber, e isso me magoa – respondeu ele.

Mas a Esperança era muito sábia e o aconselhou, dizendo:

– Amor, você é o sentimento mais importante que existe. Seja paciente e chegue devagar que, com certeza, os corações se abrirão para você.

Assim, o Amor se alegrou novamente e mandou o máximo de si para todos na Terra, deixando a vida de cada um mais feliz.

MANU NO MUNDO DOS NÚMEROS★

Era uma vez uma ratinha chamada Manu. Ela era muito inteligente e gostava de estudar. Na escola, sempre tirava boas notas.

– Parabéns, Manu! Você foi muito bem na prova de Matemática – disse a professora ao entregar a nota.

Os números eram a paixão da ratinha, e ela não via a hora de aprender cálculos mais difíceis. Certo dia, antes de dormir, Manu olhou para as estrelas no céu e fez um pedido:

– Eu queria tanto viajar pelo País da Matemática! Esse é o meu maior sonho – desejou antes de adormecer.

31 maio

TERÁ SIDO SÓ UM SONHO?

Enquanto dormia, Manu foi parar no País da Matemática.

– Eu não acredito! Estou realizando meu sonho! – disse ela.

E, assim, Manu passou a noite toda aprendendo sobre a Matemática, conhecendo os números, resolvendo contas e solucionando problemas. Ela colocou em prática tudo o que já sabia e aprendeu outras coisas.

Quando acordou no dia seguinte, a ratinha deu um pulo da cama e disse para sua mãe:

– Eu conheci o País da Matemática!

Daquele dia em diante, Manu passou a gostar ainda mais de brincar com os números.

MONA, A FADINHA MANDONA

No Parque dos Girassóis, havia uma fadinha muito mandona que se chamava Mona.

Ela sempre queria escolher as brincadeiras e determinava tudo o que as outras fadinhas tinham que fazer. Até que, um dia, as suas amigas resolveram que fariam o que desejavam, sem seguir as ordens de Mona. Então, quando se deu conta, ela estava sozinha.

Foi assim que a fadinha mandona percebeu que era importante respeitar a vontade das amigas e que brincar acompanhada era muito mais divertido!

02 junho

A FESTA NO CÉU

Foi marcada uma festa no céu. O convite dizia: quem tem asas, venha; quem não tem, fique olhando. O jabuti ficou triste porque não podia voar. Mas, quando viu o urubu afinando o seu violão, teve uma ideia: viajar dentro do violão do urubu. E assim fez e festejou a noite toda.

Na hora de voltar, escondeu-se de novo no violão. Mas o urubu estava tão cansado que deixou o violão cair lá do alto. O casco do jabuti se partiu em muitos pedacinhos. Muito esperto, o jabuti juntou e colou todos eles. É por isso que o seu casco hoje é assim.

A PATINHA TINA★

Tina era uma patinha muito extrovertida, que sempre animava todos os seus amigos cantando e contando histórias.

Porém, certo dia, quando acordou, Tina não conseguia falar! Como ela alegraria seus amigos dessa maneira?

Para acalmar Tina, o sapo Sansão lhe contou uma história, assim como ela costumava fazer quando ele não conseguia dormir.

Tina encontrou o pato Tião, e ele propôs que fossem brincar de espalhar água pelo lago, pois sabia que ela gostava muito disso. Mas será que os outros animais também brincariam com uma patinha sem voz?

AMIGOS PARA TODAS AS HORAS

Tina foi para o lago com o pato Tião, mas estava muito preocupada. Sem voz, ela não conseguiria agradar seus amigos!

Quando ela se aproximou, eles sugeriram uma brincadeira da qual todos pudessem participar: um concurso de mímica!

Tina adorou a ideia! Ela e os outros animais do lago da fazenda brincaram juntos a tarde toda.

Naquele dia, Tina sentiu o quanto era querida por seus amigos, contando ou não piadas, cantando ou não lindas canções. Eles gostavam dela apenas por ser quem era!

05 junho

PETER PAN★

Peter Pan vivia na Terra do Nunca com a fada Sininho e os Meninos Perdidos. Lá, ninguém crescia, todos eram eternas crianças.

Certa noite, Peter e Sininho foram parar na Terra, no quarto de Wendy e seus irmãos, em busca de sua sombra perdida.

A garota acordou e viu os dois lutando para prender a sombra de Peter ao seu corpo. Wendy ajudou-o e, em troca, Peter convidou a garota e seus irmãos para conhecerem a Terra do Nunca. Lá, Wendy viveu aventuras e passou por apuros nas mãos do temível capitão Gancho.

06 junho

A BATALHA CONTRA O CAPITÃO GANCHO

O capitão prendeu os Meninos Perdidos, Wendy e seus irmãos no navio, mas Peter Pan e Sininho lutaram para resgatá-los. Após uma fantástica batalha, Peter venceu Gancho e salvou a todos.

Depois de viverem momentos incríveis, chegou a hora de Wendy e seus irmãos irem para casa. De volta ao quarto, Wendy pediu a Peter que ficasse com eles, mas o garoto não podia abandonar a Terra do Nunca, Sininho e os Meninos Perdidos. Mesmo triste, Wendy entendeu, e sempre que possível Peter voltava para visitar os amigos.

FESTA À FANTASIA

O clube da escola e os alunos estavam organizando uma festa à fantasia, e a garotada ficou muito animada com a notícia.

– Vou fantasiado de Super-Homem – falou Felipe.

– Eu vou de havaiana. É uma fantasia fácil de fazer e muito bonita – disse Amanda.

Todos ajudaram a decorar a sede do clube com máscaras, bexigas e muito brilho para deixar a festa divertida.

– Amanda, será que você tem um pedaço de tecido para eu fazer a capa da minha fantasia? Afinal, sua mãe é costureira – perguntou Felipe.

– Creio que sim, amigo, vamos lá – convidou a menina.

08 junho

DIVERSÃO GARANTIDA

Chegando à casa de Amanda, os amigos foram direto para a oficina da mãe da garota, que estava costurando a fantasia de havaiana.

– Tia, eu preciso de tecido para fazer a capa do Super-Homem – pediu Felipe.

– Ah, eu tenho o pano ideal aqui. Sua capa vai ficar linda – disse a mãe de Amanda.

Quando chegou o grande dia, os amigos estavam muito elegantes em suas fantasias e se divertiram muito na festa. Os alunos e o clube estavam de parabéns por organizarem um evento assim, cheio de alegria, cores, brilhos e, o mais importante, repleto de paz.

O COLAR COM PINGENTE DE CORAÇÃO★

Nina e Nani eram irmãs gêmeas e também grandes amigas. Elas contavam tudo uma para a outra e estavam sempre juntas. Até que, um dia, encontraram na rua um colar com um pingente de coração.

– Ele será meu! – Nina falou depressa.

– Não, eu o vi primeiro! Tem que ficar comigo! – Nani retrucou.

As duas discutiram sobre quem ficaria com o colar até chegarem em casa. Depois, pararam de falar no assunto e de falar uma com a outra. Os dias se passaram, e as duas irmãs já não conversavam mais. O colar ficou na estante e nenhuma delas se atrevia a pegá-lo.

UM PRESENTE ESPECIAL

Nina e Nani ficaram dias sem se falar e perceberam que sentiam falta da companhia uma da outra. Um dia, Nina pegou seu jogo preferido. Mas com quem iria jogar? Na sala, Nani precisava fazer a lição de casa, mas quem a ajudaria? De repente, as duas garotas deram um salto de onde estavam e saíram correndo.

– Desculpe – falaram ao mesmo tempo. – Podemos voltar a ser amigas? Sinto sua falta.

Juntas, as duas entregaram o colar para a mãe.

– Para você, mamãe, um presente especial.

– O presente mais especial que posso ter é ver vocês duas juntas e felizes de novo! – disse a mãe das meninas.

BOITATÁ

O Boitatá, uma espécie de cobra, foi o único sobrevivente de um grande dilúvio que cobriu a terra. Para escapar, ele entrou num buraco e lá ficou no escuro. Por isso, seus olhos cresceram. Desde então, ele anda pelos campos em busca de restos de animais. Algumas vezes, assume a forma de uma cobra com os olhos flamejantes do tamanho de sua cabeça e persegue os viajantes noturnos. Às vezes, ele é visto como um facho cintilante de fogo indo de um lado para outro da mata.

O AMOR ESTÁ NO AR

A passarinha Dália perguntou ao seu namorado, Amadeu:

– Você sabe que dia é hoje?

– Claro que sim! É dia de voar entre as árvores, apreciar a natureza e tomar banho na bica – respondeu Amadeu.

Dália ficou furiosa. Afinal, era o Dia dos Namorados, e o passarinho não se lembrou. Logo, ela pensou que não ganharia nem uma rosa de presente. Mas, para a surpresa da passarinha, Amadeu chamou os bem-te-vis e fez uma romântica serenata para sua amada.

– Ó, Amadeu, que gesto mais lindo! – disse Dália.

E o amor reinou por toda a floresta naquele dia especial.

FESTA JUNINA

Joca, Hugo e Beto estavam fantasiados de caipiras, esperando Gisa e Madá, que ainda se arrumavam. Elas já tinham colocado os vestidos coloridos, mas faltava a maquiagem:

– Você me ajuda com a maquiagem, Madá? – perguntou Gisa.

– Claro! E você me ajuda também? – disse Madá.

– Sim, Madá!

Gisa espalhou blush nas bochechas de Madá e fez sardas com lápis preto. Depois foi a vez de Madá. Elas foram encontrar os amigos que as esperavam. Ao virem Gisa, começaram a rir. Ela se olhou no espelho e viu que estava com a maquiagem muito carregada.

– Madá, o que você fez? – indagou Gisa.

– Desculpe, acho que exagerei um pouco – concluiu Madá.

BUMBA MEU BOI

Um rico fazendeiro possuía um boi muito bonito, que inclusive sabia dançar. Pai Chico, um trabalhador da fazenda, roubou o boi para satisfazer o desejo de sua mulher, Catarina, que estava grávida e havia sentido uma forte vontade de comer a língua do boi.

O fazendeiro mandou seus empregados procurarem o animal e, quando o encontraram, ele estava morto. Os pajés trouxeram o boi à vida e descobriram que pai Chico o havia roubado. O fazendeiro o perdoou ao saber o motivo da sua ação e celebrou a volta do boi com uma grande festa.

O GATO RARRÁ

Como os outros gatos, eu gosto de pular e brincar, mas tenho muito medo de ratos. Ah, meu nome é Rarrá. Você sabe por que eu me chamo assim?

Você acha que é porque tenho medo de ra-rato? Não, não é isso. É porque os outros gatos acham engraçado gato ter medo de rato e dão muita risada, *ra-ra-ra-ra-rá*. Assim, passei a ser chamado de gato Rarrá.

Eu sinto todo esse medo porque um dia estava dormindo e um rato mordeu minha orelha. Desde então, passei a ter medo de ratos. E você? Tem medo de quê? Você fala sobre isso com seus pais e amigos? Você pode ajudar seus amigos a deixarem de ter medo?

A RAPOSA E AS UVAS

Em um dia quente, uma raposa faminta encontrou uma parreira. A planta se elevava bem alto e ali exibia lindas e suculentas uvas bem maduras. A raposa logo desejou abocanhar um daqueles enormes cachos, mas não conseguiu alcançá-los. Ela saltou, pulou, mas de maneira alguma era capaz de ao menos tocar em uma das uvas. Depois de muito tempo, já exausta, a raposa virou-se para ir embora, mas antes de partir falou:

– Não quero essas uvas verdes...

Moral da história: é fácil desprezar aquilo que não se pode alcançar.

17 junho

ALI BABÁ E OS 40 LADRÕES*

Era uma vez um jovem chamado Ali Babá. Ele sempre viajava pelo Oriente para trazer notícias ao rei.

Certo dia, ele notou uma movimentação estranha perto de onde estava. Havia 40 homens em frente a uma grande pedra. Então, um deles disse:

– Abre-te, Sésamo!

E a pedra moveu-se, e todos entraram, carregando vários sacos.

Ali Babá ficou muito curioso e resolveu ficar ali observando. Ao saírem, um dos homens disse:

– Fecha-te, Sésamo!

Quando eles foram embora, Ali Babá foi até a pedra e disse as palavras mágicas. E a pedra moveu-se.

18 junho

VOLTANDO À CAVERNA★

Ali Babá mal podia acreditar no que via: muitas moedas de ouro, prata, tapetes e panos finos.

Ele levou o que pôde e seguiu para o palácio do sultão. Lá, pediu a filha do sultão em casamento, pois agora tinha dinheiro para se casar.

O sultão concordou e, com isso, Ali Babá precisaria de mais dinheiro para construir o palácio e fazer a festa de casamento.

Então, ele voltou ao lugar onde os 40 ladrões guardavam toda aquela fortuna. Porém, os ladrões já sabiam que Ali Babá estava pegando o dinheiro de lá e planejaram capturá-lo.

19 junho

A FESTA DE CASAMENTO DE ALI BABÁ

No dia da festa de casamento, os ladrões se esconderam dentro dos barris de vinho para atacar o jovem quando a festa acabasse.

Ali Babá, ao entrar para ver se ainda havia vinho para os convidados, descobriu os ladrões escondidos. Ele, imediatamente, foi ao salão e anunciou que precisava de ajuda para jogar o vinho fora, pois estava estragado.

Então, Ali Babá disse aos seus ajudantes:

– Atenção, joguem todos os barris nesse penhasco.

Ali Babá conseguiu se livrar dos ladrões e, assim, ficou com todo o tesouro que estava na caverna.

20 junho

CHUQUINHA

Olá! Eu sou a boneca Chuquinha. Adoro cuidar da minha higiene.

Escovo meus dentes quando acordo, depois de comer – seja um lanche, o almoço ou jantar – e antes de ir dormir também.

Sempre lavo as mãos quando paro de brincar, antes de comer e depois de ir ao banheiro.

Ah! Eu também tomo banho todos os dias! É tão bom sentir aquela água caindo nas costas depois de espalhar sabão no corpo todo (sem esquecer os pés e as orelhas!).

Tomo todos esses cuidados para evitar os bichinhos que fazem mal à saúde. E funciona!

INQUIETA★

A princesa Sara estava inquieta. Pegava seus brinquedos e os devolvia à prateleira. Abria e fechava os cadernos de pintura.

– O que está acontecendo, querida? – perguntou o rei ao ver a garotinha caminhando de um lado para outro.

– Eu queria fazer algo diferente hoje. Brincar sozinha não é mais divertido. Também não quero desenhar, pintar ou escrever. Não sei o que fazer! – respondeu a princesa.

– Ei, veja! Quem é aquela garota no pátio? Por que você não vai convidá-la para brincar com você? – sugeriu o rei.

A princesinha ficou pensativa.

AMIGAS

Por fim, Sara se aproximou timidamente da garotinha e falou:

– Oi. Como é seu nome? Você quer brincar comigo?

– Olá, princesa! Eu me chamo Luíza. Desculpe-me, mas não posso brincar agora. Preciso regar as plantas e guardar a louça do café com a minha mãe.

– E se eu ajudar você? – sugeriu Sara.

– Mas você é a princesa! – exclamou a garotinha.

– E você pode ser minha nova amiga – disse Sara.

A princesa Sara ficou muito feliz por ajudar Luíza com as suas tarefas, e, à tarde, as duas brincaram juntas. Isso se repetiu por todos os dias seguintes, e as duas meninas se tornaram grandes amigas.

VIAGEM PARA O MUNDO ENCANTADO★

Mariana escovou os dentes, vestiu o pijama e pegou seu coelhinho de pelúcia. Depois, deitou-se em sua cama e se acomodou debaixo das cobertas. Sua mãe sentou-se ao lado dela e abriu o grande livro de histórias. Mariana sorriu e fechou os olhos: a viagem estava prestes a começar!

– Era uma vez uma garotinha que gostava muito de brincar com suas amigas fadas... – sua mãe começou a contar a história.

Aquelas palavras levaram Mariana para um mundo mágico repleto de cores e encantamento, onde tudo o que ela sonhasse poderia acontecer.

24 junho

NO REINO DAS FADAS

Em um lindo jardim, repleto de flores coloridas, pássaros e borboletas, Mariana se sentou ao lado do rio e colocou os pés na água. Vários peixinhos se aproximaram e começaram a tocar os dedos da garota, como se estivessem dando delicados beijinhos. Aquilo fazia cócegas!

De repente, fadinhas coloridas apareceram, convidando Mariana para passear pelos campos. Então, com um leve impulso, ela saiu voando, deixando um rastro de brilho colorido no ar.

Mariana voou por lugares lindos, brincou com os animais, fez novas amizades... Até que despertou de seu maravilhoso sonho.

LAURA E OS DOCES*

Laura gostava de tudo o que as outras crianças gostavam, menos de doce. Suas amigas não entendiam como ela conseguia resistir a um pedaço de bolo.

– Não é possível que você não goste de nenhum tipo de doce – dizia Miriam.

– Não, não gosto! – afirmava Laura.

No dia da sua festa de aniversário, Laura ficou apenas observando as crianças comendo beijinhos, brigadeiros e cajuzinhos, mas não provou nenhum.

Quando o bolo foi cortado, todas as crianças pegaram um pedaço, menos Laura. Aos poucos, ela se afastou dos colegas e foi para seu quarto.

A MEDIDA CERTA

– Filha, está tudo bem? – perguntou sua mãe ao vê-la chorando no quarto.

– Mãe, tenho que confessar: eu gosto de doce! Quando comi aquela barra de chocolate inteira, tive uma terrível dor de barriga; depois disso, decidi não comer mais nada. Não quero sentir aquilo de novo – revelou Laura.

A mãe da menina entendeu e disse à filha que ela poderia comer doces, mas que tudo precisa ter limites; se ela comesse pouco, não sentiria dor. Laura compreendeu e, ao voltar para a festa, comeu um pedaço de bolo com as amigas.

– Só um! – ela riu.

FESTA DO PIJAMA

Gisa dormiu na casa de Madá, que fez uma festa do pijama. A mãe de Madá fez sanduíches, suco de laranja e chocolate com leite. Depois de comerem, Gisa colocou músicas no rádio para elas dançarem. Elas pegaram acessórios de Madá e se enfeitaram. As duas deram muita risada até que a mãe de Madá disse que era tarde, e elas tinham que se deitar. Elas adormeceram felizes com a festa do pijama que fizeram. Madá e Gisa são diferentes, mas se dão muito bem.

28 junho

O BARULHO

O ursinho Hugo chamou sua mãe. Era noite e ele já estava deitado.

– O que é, Hugo? – perguntou sua mãe.

– Tem alguém no meu armário – disse o ursinho.

A mãe acendeu a luz, abriu a porta do armário e mostrou ao filho que só havia roupas.

– Boa noite, Hugo!

– Boa noite, mamãe.

De novo no escuro, Hugo cobriu a cabeça com o cobertor e tentou dormir, mas ouviu o barulho de novo. Saiu em disparada para a cama da mãe.

– Mamãe, posso dormir com você hoje? As roupas estão muito agitadas.

A BONECA LULU*

Era uma vez uma boneca chamada Lulu, que vivia em um quarto cheio de outros brinquedos. Mas quase ninguém conversava com ela, pois todos pensavam que a boneca era metida por usar vestidos bonitos e acessórios cheios de brilho.

– Me sinto tão só. Queria ser amiga dos outros brinquedos, mas eles nem ligam para mim – lamentava Lulu.

Quando a noite caía, os brinquedos se reuniam para contar histórias. Lulu ficava de longe observando, ouvindo e lamentando por não poder participar.

CONTANDO HISTÓRIAS

Os brinquedos combinavam de algum deles começar a contar uma história e outro dar continuidade, e assim seguia a diversão. Certo dia, ouvindo escondida a história que estava sendo contada, quando se fez a pausa, Lulu tomou coragem e continuou o conto.

Todos ficaram surpresos, pois não sabiam de onde vinha aquela voz, mas estavam adorando ouvir. Quando terminou de falar, Lulu saiu de dentro do guarda-roupa, e os brinquedos a aplaudiram muito.

Desse dia em diante, todos ficaram amigos de Lulu e passaram a adorar suas histórias.

A RAINHA DA NEVE*

Era inverno, e todos os dias, no final da tarde, a neve caía, encobrindo tudo. Os dois amigos, Gerda e Kai, sempre brincavam juntos e adoravam cultivar flores.

Por ali, havia um duende muito malvado. Certo dia, ele inventou um espelho que tornava as pessoas mal-educadas e até mesmo malvadas se fosse quebrado.

E foi o que aconteceu: enquanto os amigos brincavam, o duende quebrou o espelho, e os pedaços dele caíram sobre os olhos de Kai, tornando-o um garoto mal-educado.

Ao tentar tirar o pedaço que estava em seus olhos, Kai se desequilibrou e caiu da sacada.

EM BUSCA DO AMIGO PERDIDO★

Algum tempo depois, Gerda percebeu que o amigo havia sumido.

A Rainha da Neve levou Kai ao palácio dela, sem que ninguém soubesse.

Gerda, então, resolveu procurá-lo, mesmo sem saber por onde começar. Depois de caminhar muito, ela encontrou uma casa repleta de flores, onde morava uma senhora.

A mulher queria que Gerda ficasse em sua casa e não fosse embora. Então, pegou seu pente mágico e penteou o cabelo da garota, que assim se esqueceu de seu amigo Kai. Gerda só foi se lembrar de seu amigo alguns dias depois, quando viu uma rosa.

QUEBRANDO O FEITIÇO

Gerda foi embora e, no caminho, encontrou uma mulher desconhecida, que ouviu atentamente sua história. Para ajudá-la, a mulher ofereceu-lhe uma rena, que a levou até o palácio da Rainha da Neve, onde estava seu amigo.

Ao chegar ao palácio, Gerda encontrou Kai, abraçou-o bem forte e começou a chorar. As lágrimas aqueceram o coração dele, e o pedaço do espelho saiu de seus olhos. Kai também chorou e, finalmente, o feitiço foi quebrado. Eles saíram do castelo da Rainha da Neve, e a rena os levou de volta para casa, em segurança.

O CASACO DA ARANHA

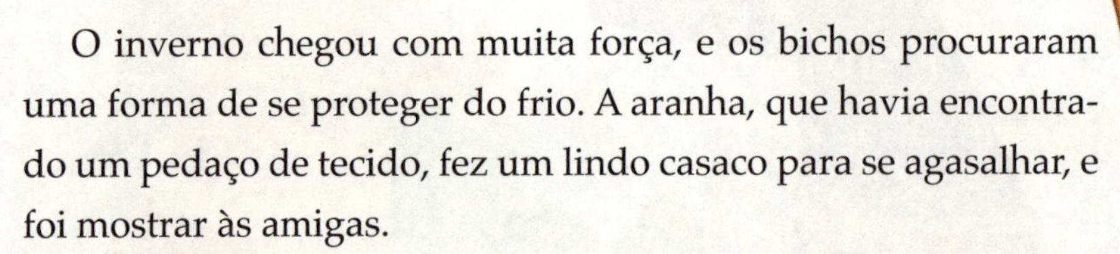

O inverno chegou com muita força, e os bichos procuraram uma forma de se proteger do frio. A aranha, que havia encontrado um pedaço de tecido, fez um lindo casaco para se agasalhar, e foi mostrar às amigas.

– Olhem que beleza, colegas. Quente como o sol e fofo como o algodão – falou orgulhosa.

– Agora sim você está protegida do frio – comentou a joaninha.

A aranha ficou feliz por todas terem gostado de sua blusa e, então, costurou pares de luvas com o tecido que sobrou para dar às suas amigas. Assim, elas passaram o inverno bem aquecidas.

JOGANDO NO CAMPINHO*

O jogo estava emocionante, o placar ficou empatado quase todo o tempo.

– Quem fizer o próximo gol vence! – Daniel anunciou aos colegas, vendo que já era quase hora de ir para casa.

De repente, Lucas pegou a bola e saiu em disparada na direção do gol, sem olhar por onde andava. Até que... Ploft! Caiu no chão, por pisar em um buraco no campo. A bola sobrou atrás do goleiro, mas Daniel não marcou o gol. Pegou a bola com as mãos e foi correndo na direção do colega caído no chão. Era hora de acabar a partida.

06 julho

UM TIME DENTRO E FORA DE CAMPO

Como Lucas não foi ao campinho nem à escola nos dois dias após o jogo, Daniel e Gui foram visitá-lo para saber o que havia acontecido.

– Torci o pé. Quinze dias sem colocar o pé no chão. Sinto muito, pessoal. Não vou participar do jogo no sábado – Lucas lamentou.

No dia seguinte, Daniel, Gui e os outros meninos da rua foram à casa de Lucas.

– Já que você não pode pôr o pé no chão, que tal competirmos no futebol de botão? – Daniel sugeriu.

Lucas abriu um largo sorriso.

– Ah! Como é bom ter amigos como vocês!

O CORVO E O JARRO

Um corvo estava com muita sede, quando encontrou um jarro com um pouco de água. Porém, infelizmente, seu bico não era comprido o bastante para chegar até a água. Ele tentou alcançar o fundo do jarro de várias maneiras, mas não conseguiu.

"Não vou desistir, estou com muita sede"– o corvo pensou. Foi quando teve uma ideia. Uma a uma, ele foi colocando pequenas pedras dentro do jarro, e aos poucos a água foi subindo, subindo, subindo... Até que a água chegou mais perto da borda, e o corvo conseguiu bebê-la.

Moral da história: a necessidade é a mãe das invenções.

08 julho

O CAVALO FAÍSCA

Cavalos gostam muito de correr, pular e trotar. Eu também adoro fazer tudo isso. Meu nome é Faísca. Você sabe por que me chamam de Faísca? Pensou que é porque sou rápido? Não, não é por isso. É porque sou um cavalo bravo.

Sou usado na fazenda para fazer serviços pesados. Fico feliz por poder ajudar, mas quando o serviço é pesado demais, fico furioso. Muitas vezes, ajudo a puxar pasto para os outros animais da fazenda. Eu gosto quando posso ajudá-los a conseguir mais alimento.

E você? Também fica feliz quando pode ajudar os outros?

UMA DAS VIAGENS DE GULLIVER

Lemuel Gulliver, cirurgião em Londres, resolveu fazer uma viagem marítima, pois estava entediado. Pouco depois de partir, uma tempestade começou. Gulliver caiu no mar e foi parar em uma praia, desmaiado. Quando acordou, estava amarrado por barbantes e um minúsculo rei em pé sobre seu peito perguntou-lhe o que fazia ali. Ao ver que estava cercado por homens muito pequenos, Gulliver respondeu que havia naufragado e que não faria mal a ninguém. Assim, eles o soltaram e ainda o ajudaram a construir um barco para que pudesse voltar para Londres.

VIVI TEIMOSA

Vivi adorava brincar com as primas na casa da avó. Elas se davam muito bem, mas Vivi era bastante teimosa. Certo dia, enquanto se divertiam no quintal, a garota subiu em uma grande árvore.

– Vivi, sua mãe disse para não subir aí – falou Ana.

– Não seja medrosa! – respondeu a garota.

Quando chegou lá em cima, Vivi sentiu-se orgulhosa, mas não conseguiu descer, e as meninas tiveram que ajudá-la.

– Viu no que dá ser teimosa? – disse Laila, a prima mais velha.

Desse dia em diante, Vivi aprendeu a não teimar mais.

O GAFANHOTO CURIOSO★

No jardim, havia um gafanhoto muito curioso, que adorava cuidar da vida dos outros insetos.

– Você viu que a dona barata se separou há duas semanas e já está namorando outro? – o gafanhoto perguntou para a formiga.

– Você ainda vai se dar mal com essa mania de bisbilhotar tudo – respondeu a formiga.

Mas de nada adiantavam os avisos. O gafanhoto passava o dia andando pelo jardim, de olho em tudo o que acontecia, apenas para suprir sua curiosidade.

Certo dia, ele percebeu que o jardim estava muito vazio e foi procurar os outros insetos.

12 julho

ESTRAGANDO A SURPRESA

Quando chegou à casa da barata, ele encontrou todos lá, mas a joaninha, que havia ficado de guarda na porta, não o deixou entrar. Muito esperto, ele conseguiu passar por ela. Ao encontrar os amigos, o gafanhoto falou:

– Peguei vocês! O que estão aprontando que eu não posso saber?

– Oh, não! Você e a sua curiosidade estragaram tudo! Estávamos preparando uma festa surpresa para seu aniversário. Agora não será mais segredo! – disse a formiga.

O gafanhoto ficou triste, mas ganhou a festa mesmo assim. Daquele dia em diante, deixou de ser tão enxerido.

O PASSEIO DAS FORMIGAS*

Era uma vez duas formiguinhas chamadas Fafá e Bela. Elas resolveram fazer um passeio pelo rio. Então, escolheram uma grande folha, colocaram-na sobre a água, pegaram dois gravetos e começaram a remar.

– Que dia lindo para um passeio, não é mesmo, Bela?

– Sim, Fafá, um belo dia mesmo. E eu vim com meu lenço preferido. Adoro passear com ele, pois foi presente da minha vovó.

Assim, as duas formiguinhas seguiram muito contentes pelo rio, apreciando a vista da floresta repleta de flores e aproveitando os raios de sol que aqueciam aquele dia calmo.

14 julho

SE FORMIGA SOUBESSE NADAR...

Bela e Fafá seguiam o passeio quando, de repente, uma brisa atingiu a folha delas e fez o lenço de Bela cair na água.

– O lenço que vovó me deu! E agora?

– Ô, Belinha, se eu fosse um peixinho e soubesse nadar, eu tirava o seu lenço da água do rio, mas como sou uma formiga, posso me afogar.

Uma joaninha que voava por ali pegou o lenço de Bela na água e o levou até ela.

– Muito obrigada por sua gentileza, dona joaninha – disse a formiga.

Assim, as duas amigas continuaram o passeio, e Bela amarrou o lencinho com cuidado, para ele não voar mais.

O PATINHO FEIO

Numa linda tarde na fazenda, a dona pata chocou seus ovos. Mas um de seus patinhos nasceu grande e desengonçado, e todos começaram a chamá-lo de Patinho Feio.

Muito triste, ele foi embora para a floresta, e lá encontrou os patos selvagens, que também caçoaram dele. O patinho andou por vários lugares durante muito tempo até encontrar um lago cheio de cisnes. Então, juntou-se a eles e viu sua imagem refletida na água: ele havia se tornado um lindo cisne. Muito feliz, ele aprendeu que não se deve julgar as pessoas pela aparência.

A OVELHA E A RAPOSA*

Era uma vez uma ovelha chamada Zazá, que havia se mudado fazia pouco tempo para uma grande fazenda. Perto dali, vivia Flora, uma raposa muito diferente que adorava correr atrás das ovelhas apenas para assustá-las.

Certo dia, Flora se aproximou da fazenda onde vivia Zazá e avistou a ovelha pastando calmamente. Logo, saiu em disparada na direção da bolinha de lã.

– Quero ver o quanto você aguenta correr, branquinha! – gritou Flora, aproximando-se de Zazá.

17 julho

UMA AMIZADE INESPERADA

A ovelha, vendo a raposa vindo desgovernada em sua direção, fez um movimento certeiro e desviou.

Flora deu de cara com uma árvore e levantou meio tonta.

– Por que você não correu de mim? – perguntou a raposa, ainda sem ar.

– Porque, se você quisesse me atacar, não viria gritando em minha direção. Então, sei que você é uma boa raposa e creio que podemos ser amigas – falou a ovelha.

Flora ficou espantada, mas, como já estava cansada daquela vida de ficar assustando ovelhas, concordou com Zazá e elas se tornaram grandes amigas.

18 julho

JOÃO E MARIA*

Os irmãos João e Maria foram levados à floresta pelo pai, a pedido da madrasta malvada, para serem abandonados. João, sempre muito esperto, ia deixando migalhas de pão pelo chão para marcar o caminho de volta para casa. Só não imaginava que os animais comeriam todas as migalhas.

Sem saber como voltar, os irmãos andaram muito até encontrarem uma casa toda feita de doces. Eles deliciaram-se com as guloseimas, mas logo descobriram que a casa era de uma bruxa má, que prendeu os dois.

19 julho

FUGINDO DA CASA DE DOCES

A bruxa fez Maria trabalhar como sua empregada e começou a engordar João para comê-lo. Todos os dias, ela pedia para ver o dedo do menino, e ele a enganava, mostrando um osso de frango. Até que, certo dia, Maria aproveitou um momento de distração da bruxa e jogou-a no forno.

Antes de fugirem de volta para casa, eles encontraram um baú cheio de moedas de ouro. Quando viu João e Maria, a madrasta malvada ficou muito brava e foi embora. Assim, os dois puderam viver felizes para sempre ao lado de seu pai.

UM POR TODOS E TODOS POR UM*

D'Artagnan queria se tornar mosqueteiro do rei. Humilhado por Rochefort, agente do cardeal Richelieu, que confiscou a carta de recomendação escrita pelo pai para o capitão dos mosqueteiros, o jovem chegou a Paris. Mesmo sem a carta, ele apresentou-se ao capitão, que não lhe prometeu um lugar na companhia.

D'Artagnan provocou três mosqueteiros: Aramis, Athos e Porthos. O jovem foi desafiado para um duelo com cada um deles, o que era proibido. Os guardas do cardeal tentaram prendê-los. D'Artagnan e os três mosqueteiros derrotaram os guardas e tornaram-se amigos.

RESGATANDO A JOIA DA RAINHA

O rei Luís XIII recebeu os quatro. Os três mosqueteiros eram os preferidos do rei e apresentaram D'Artagnan como um amigo, que se tornou cadete da guarda. O cardeal pretendia prejudicar a rainha, revelando ao rei a relação dela com um duque inglês, e o jovem cadete soube.

D'Artagnan e os outros mosqueteiros foram a Londres para recuperar um colar de diamantes que a rainha havia dado ao duque, pois o rei queria vê-la com a joia no próximo baile da corte. O duque devolveu o colar, e D'Artagnan voltou a Paris a tempo de salvar a rainha.

QUE CHUVA!*

Uma chuva forte caía lá fora enquanto Diego caminhava impaciente dentro de casa.

– Desse jeito, você vai fazer um buraco no chão – sua prima Larissa comentou, olhando por cima do livro que estava lendo.

– Eu ia lá fora montar um grande castelo de pedras para os meus robôs destruírem. Mas com essa chuva não dá! – disse Diego.

– E se nós fizéssemos uma cabana aqui dentro? Com lençóis e prendedores de roupas? Será que a tia deixaria?

– Com você? Hum, não parece ser muito legal...

Antes que Diego terminasse de falar, Larissa saltou do sofá e sumiu pela porta.

CONSTRUINDO O QUARTEL-GENERAL

Quando voltou à sala, Larissa estava carregando lençóis, toalhas e prendedores de roupas.

– Você quer mesmo fazer isso? Acho que não vai dar certo... – Diego duvidou.

– Que tal você vir me ajudar? Pegue aquelas almofadas, por favor – pediu Larissa.

Não demorou para uma grande tenda de lençóis e toalhas se estender sobre o sofá e uma porta de almofadas passar a proteger a entrada do quartel-general de Diego e Larissa.

As horas passaram bem depressa e, ao fim do dia, o garotinho acabou confessando:

– Realmente, ficar brincando aqui dentro com você hoje foi muito divertido!

24 julho

O LEÃO E O RATO

O leão dormia tranquilamente quando um ratinho sem querer o acordou.

– Por favor, não me devore! – implorou o pequenino preso pela pata do leão. – Posso ajudá-lo quando estiver em apuros.

– Como um animal tão pequeno poderia me ajudar? – riu o leão, deixando o rato partir.

Naquela mesma tarde, o ratinho encontrou o leão preso em uma armadilha. Depressa, ele começou a roer as cordas que prendiam o leão. Em pouco tempo, o rei da selva estava livre novamente e sentiu-se muito agradecido.

Moral da história: pequenos amigos podem se tornar grandes aliados.

O BOTO COR-DE-ROSA

Certo dia, os habitantes de um povoado fizeram uma festa junina. Apareceu um belo rapaz, elegantemente vestido de branco e chapéu, que dançou com as moças. Ao final da festa, desapareceu misteriosamente. Ali perto, um boto cor-de-rosa foi encontrado se debatendo numa poça d'água, e perto dele, um chapéu. Pensaram ser o mesmo rapaz da festa que usava o chapéu para esconder o buraco que os botos têm no alto da cabeça. Levaram o boto para o rio e ele desapareceu para sempre nas profundezas das águas.

26 julho

FLORA E AS BOAS MANEIRAS*

A pequena ursa Flora sempre foi muito educada e prestativa.

– Minha mãe diz que é importante tratar todos bem e ajudar o próximo – dizia ela para a raposa Lola.

– Você está certa, Flora. Mas eu sempre vejo os esquilos dizendo que quem vive ajudando os outros é bobo – reclamou Lola.

Flora não poderia deixar que a amiga pensasse assim, então falou:

– Imagina, Lola. Eles falam isso porque não fazem nada pelos outros bichos, mas, um dia, eles irão precisar da ajuda dos outros animais e mudarão a forma de pensar.

APRENDENDO A AJUDAR

Enquanto caminhavam, Flora e Lola ouviram um pedido de ajuda e foram ver quem era. Quando chegaram, viram um pequeno esquilo preso em uma armadilha.

– Por favor, me ajudem! Meus amigos foram embora e me deixaram aqui – disse o roedor.

As duas o libertaram, e, antes de sair correndo, o esquilo agradeceu muito às meninas.

– Viu, Lola? Neste mundo ninguém vive só, sempre precisamos dos outros. Por isso, não podemos negar ajuda – afirmou a ursa.

– Você tem toda a razão, Flora. Agora, eu me convenci disso – respondeu a raposa. E, assim, as duas continuaram o passeio.

28 julho

A COBRA DORMINHOCA*

Era uma vez uma cobra chamada Sassá, que só pensava em dormir. Ela não podia se encostar que já pegava no sono.

– Sassá, vamos brincar? – convidava a rã Julieta.

– Nem pensar, preciso dormir. Estou caindo de sono – respondia a cobra.

Assim, os dias passavam e, muitas vezes, Sassá nem percebia que as coisas mudavam ao seu redor.

Certo dia, ao acordar de mais um longo sono, a cobra percebeu que um silêncio pairava na floresta. Então, ela finalmente decidiu sair para ver o que estava acontecendo.

CORRA, SASSÁ!

Sassá viu que não havia mais nenhum bicho por ali e encontrou um bilhete que dizia:

"Querida Sassá, o inverno chegou, e fomos nos refugiar mais para dentro da mata. Tentamos acordar você, mas foi em vão, seu sono é mais pesado do que um caminhão. Beijos, Julieta."

A cobra acelerou o passo e rastejou com rapidez para dentro da floresta até achar os amigos.

– Ufa! Ainda bem que acordei e encontrei vocês. Prometo nunca mais dormir além do necessário.

Daquele dia em diante, Sassá começou a aproveitar as horas do dia para brincar em vez de apenas dormir.

30 julho

A FADA DO DENTE*

Saulo era um garoto diferente dos outros. Ele não via a hora de arrancar seu primeiro dente. Os amigos do menino não acreditavam na coragem dele.

– Isso deve doer muito – disse Júnior.

– Você nunca ouviu falar na fada do dente? – perguntou Saulo.

Os amigos pararam de brincar para prestar atenção no que o menino dizia.

– Minha mãe disse que, quando arrancamos um dente de leite, devemos jogá-lo em cima do telhado para a fada do dente. Assim, em troca, ela coloca moedas embaixo do nosso travesseiro enquanto dormimos.

31 julho

REALIZANDO O ENCANTO

– Só acredito vendo – falou Júnior.

– Então, vou provar – respondeu Saulo.

Os meninos foram para casa e, para a alegria de Saulo, durante o jantar, seu dente que estava mole caiu. Com a ajuda da mãe, ele o jogou sobre o telhado e foi dormir.

Quando amanheceu, o garoto saiu correndo para encontrar o amigo e mostrar as moedas que a fada havia deixado embaixo de seu travesseiro.

– Não falei, Júnior? Minha mãe estava certa.

Depois disso, todos os amigos de Saulo passaram a jogar seus dentes de leite sobre o telhado para a fada.

01 agosto

O SACI

Certo dia, o dono de um sítio começou a perceber coisas estranhas ao seu redor. As crinas dos cavalos apareciam trançadas, os ovos das galinhas goravam e o leite das vacas azedava. Só podia ser o Saci aprontando.

Uma tarde, apareceu um redemoinho no terreiro, e o homem pôde ver, no meio da ventania, um negrinho de uma perna só, gorro vermelho e cachimbo. O homem jogou uma peneira no redemoinho, depois colocou uma garrafa dentro da peneira e aprisionou o Saci. Nunca mais aconteceram aqueles estranhos eventos.

O PRESENTE DA VOVÓ

– Mãe, o que eu posso dar de presente de aniversário para a vovó?

– Tomás, nós compramos um vestido para ela.

– Mas eu queria algo especial...

Tomás foi para o quarto e começou a pensar em sua avó e tudo o que ela fazia: sopa de letrinhas, bolinho de chuva, chocolate quente...

– Ah, mas eu não sei cozinhar como ela! – ele exclamou, chateado.

À noite, Tomás entrou cabisbaixo na casa da avó:

– Vovó, eu queria lhe dar um presente especial, como todas as delícias que a senhora faz para mim, mas não consegui...

– Querido, o meu presente mais especial é você!

03 agosto

AS GALHADAS DE LÉO

Era uma vez um alce que não gostava de suas galhadas.

– Eu não pedi para nascer assim. Preciso tirar esses enfeites da minha cabeça – disse ele.

– Léo, conforme-se, é a sua natureza. Um dia você precisará deles! – aconselhou a égua Zilá.

Mas ninguém conseguia convencê-lo disso. Até que, certo dia, caminhando pela floresta, ele viu um rato preso no topo de um arbusto e usou suas enormes galhadas para salvar o pequenino. Léo sentiu-se um herói.

– Poxa, Zilá tinha razão. Estes enfeites na minha cabeça são muito úteis! – Léo confessou, por fim compreendendo.

04 agosto

ZEZEU E O POTE DE MEL

– Quem pegou meu pote de mel? – esbravejou o urso Zezeu.

– Como alguém pode ter pegado seu pote se você vive grudado nele? – questionou o rato Tato.

De fato, Zezeu não largava seu potinho por nada, mas parecia que ele já tinha procurado em toda parte, e não havia nem sinal de seu precioso tesouro.

– Já olhou debaixo da sua cama? – disse Tato, tentando ajudar.

– Verdade, lá eu ainda não procurei – lembrou o urso.

Tal foi a surpresa dele quando viu que sua relíquia estava escondida lá.

– Viva! Achei meu pote de mel! – comemorou Zezeu.

05 agosto

CACHINHOS DOURADOS*

Cachinhos Dourados adorava passear pela floresta. Certo dia, saiu para colher flores e, no caminho, avistou uma linda casa que exalava um cheiro delicioso pela chaminé. A garota entrou e viu que não havia ninguém. Então, foi até a sala, sentou-se em cada uma das três cadeiras que encontrou e acabou quebrando a menor delas.

Na cozinha, achou três tigelas com mingau, provou o da tigela maior, mas estava muito quente; o da tigela média, muito frio; e o da tigela menor, que estava no ponto. Então, ela comeu tudo.

OS URSOS VOLTAM PARA CASA

Depois de comer, Cachinhos Dourados foi até o quarto e encontrou três camas. Tentou subir na maior, mas era muito alta, a média era desconfortável, mas a cama pequena era ideal, e ali a menina adormeceu.

Enquanto ela dormia, a família dos ursos, que vivia naquela casa, voltou. O pequeno urso levou um susto quando viu tudo bagunçado e uma garota adormecida em sua cama. Assustada com o barulho, Cachinhos Dourados acordou e ficou com medo deles, mas os ursos a trataram muito bem, e eles se tornaram grandes amigos.

07 agosto

O PORQUINHO TOSTÃO★

Tostão era um porquinho muito falante que adorava contar histórias. As preferidas dele eram as assustadoras. Ele se divertia ao ver a expressão amedrontada de seus amigos quando o ouviam falar sobre monstros e fantasmas.

Entre os animais, cada um tinha sua preferência também: alguns gostavam das histórias engraçadas, outros, das românticas... Badu era um porquinho que, assim como Tostão, gostava das histórias de terror.

– Tostão, eu tenho algo muito importante para contar – Badu falou certo dia.

Cheio de curiosidade, Tostão foi andar com Badu.

08 agosto

A HISTÓRIA DE BADU

Os porquinhos estavam caminhando quando o porquinho Badu contou a lenda do lobo que, muito tempo atrás, fazia coleção de caudas de porcos. Ele corria atrás deles até perderem o fôlego e caírem no chão de tão cansados.

Ao pensar em um lobo como aquele, Tostão ficou muito assustado. Tanto que sua cauda enrolada tremia de medo.

Quando a história acabou, Tostão sorriu. Ele ficou muito contente por perceber como Badu contava histórias tão bem. Afinal, Tostão sabia que as histórias abrem as portas para um mundo incrível, onde tudo pode acontecer.

BARBA AZUL*

Barba Azul era um homem muito rico. Ele morava em um palácio muito luxuoso, com muito ouro e bem decorado. Ele era muito poderoso, mas vivia sozinho, pois as pessoas tinham medo de sua barba azul. A vida dele era bem misteriosa, porque ninguém sabia o que tinha acontecido com as várias esposas que ele já havia tido. Certa vez, Barba Azul decidiu casar-se novamente. Então, ele foi à casa de uma senhora que tinha duas filhas. A filha mais nova aceitou o pedido de casamento dele. Pouco tempo depois, eles casaram-se, e ela foi morar no palácio.

O PODER DA CURIOSIDADE*

Alguns dias depois do casamento, Barba Azul precisou viajar. Ele entregou um molho de chaves à esposa e disse-lhe:

– Eu ficarei alguns dias fora. Você pode entrar em qualquer cômodo do palácio, menos no quarto que pode ser aberto com esta chave pequena.

A esposa ouviu atentamente as ordens do esposo e afirmou que faria tudo como ele havia dito.

Quando ele partiu, a irmã da moça foi visitá-la. Elas passaram uma tarde agradável, mas, quando ela contou à irmã sobre as recomendações de Barba Azul, elas não aguentaram de tanta curiosidade.

11 agosto

FAZENDO JUSTIÇA

Em poucos minutos, as duas já estavam tentando abrir a porta com a chave pequena.

Ao abri-la, elas encontraram todas as ex-esposas de Barba Azul presas. Elas as libertaram e fecharam de novo a porta, mas as chaves caíram e ficaram sujas. Elas tentaram limpá-las, em vão.

Ao retornar de viagem, Barba Azul notou as chaves sujas. Ele ficou muito furioso com a esposa. Ele estava pronto para prendê-la no quarto junto com suas ex-esposas quando os irmãos da moça foram visitá-la. Eles lutaram com Barba Azul, que morreu. Assim, toda a fortuna dele ficou para a sua esposa, que trouxe a sua família para morar também no palácio.

O VÍRUS

Gisa estava mostrando um jogo para sua amiga Madá em seu computador, quando espirrou:

– Tome cuidado, Gisa! – exclamou Madá.

– Cuidado por quê, Madá? – perguntou Gisa.

– Você está resfriada!

– Acho que a mudança de tempo me deixou mal – concluiu a amiga.

Madá pegou o computador de Gisa e começou a se afastar:

– Aonde você vai com meu computador, Madá?

– Tirá-lo de perto de você. Por acaso você quer que ele pegue um vírus?

13 agosto

A ESTRELA SOLITÁRIA

Era uma vez uma estrela solitária chamada Alfa, que vivia em um canto escuro do céu. Nenhuma outra estrela aparecia por lá para fazer companhia à pequena Alfa, e havia dias em que ela se sentia triste e só.

– Queria conversar, brincar ou simplesmente ver outra estrelinha como eu, mas neste canto escuro aqui não vai aparecer ninguém. Eu tenho medo de sair e me perder na imensidão – lamentava Alfa.

Porém, um belo dia, a estrela viu uma luz forte vindo rapidamente em sua direção. Ela teve até que desviar para não ser atingida.

14 agosto

COMETA AMIGO

Quando recuperou a visão, Alfa quase não acreditou no que viu: era um lindo cometa que estava ao seu lado.

– Não acredito, alguém para me fazer companhia! Muito prazer, sou a estrela Alfa – disse, feliz.

– O prazer é todo meu! Sou o cometa Beta, mas estou apenas de passagem, me perdi neste cantinho. Se quiser, pode vir comigo, eu conheço muitos lugares – falou Beta.

Alfa não pensou duas vezes e partiu com o cometa. Os dois viajaram por todo o universo até se apaixonarem pelo cantinho do céu que cobria a Terra e ficarem por lá.

DOM QUIXOTE DE LA MANCHA*

Alonso Quijano era um fidalgo em decadência que, depois de ler muitos romances de cavalaria, passou a viver do mesmo jeito que seus personagens favoritos. Assim, Quijano partiu para defender os mesmos ideais dos livros e para viver ele mesmo como cavaleiro. Ele gostava de uma simples camponesa das redondezas e deu-lhe o nome de Dulcineia, acreditando que ela fosse sua dama prometida. Tomou um cavalo velho e magro para si e o chamou de Rocinante. Finalmente, autodenominou-se Dom Quixote de la Mancha e foi rodar pelo mundo.

LUTANDO CONTRA OS GIGANTES

Na cabeça de Quixote, ele era um cavaleiro, seu cavalo era um puro-sangue e sua donzela era uma dama nobre. Sempre seguido pelo escudeiro Sancho Pança, ele procurava façanhas pelas terras espanholas.

Contudo, a cada passo, a realidade mostrava o quão falso era o delírio de Dom Quixote. Certa vez, ele atacou moinhos de vento pensando que fossem gigantes. Depois de algum tempo, Quixote voltou à razão e passou seus últimos dias em casa, com a família e os amigos.

17 agosto

DELICIOSAS CENOURAS*

Janjão morava em uma toca no campo e tinha uma horta, onde plantava apenas cenouras. Muito cuidadoso, todos os dias ele se levantava para regar as cenouras, tirar as folhas mortas e cuidar da terra. Na hora do almoço, colhia apenas aquelas que iria comer e preparava uma deliciosa refeição. Cenouras cozidas, refogadas, assadas, cruas... Janjão comia suas cenouras de todas as maneiras possíveis, e isso fazia o coelhinho se sentir muito feliz.

Porém, uma manhã, quando Janjão foi regar sua plantação, ele teve uma grande surpresa: onde estavam todas as suas saborosas cenouras?

AS CENOURAS DESAPARECIDAS

No bosque, o coelho Zuzu estava escondendo um monte de cenouras dentro de um grande carvalho. De repente, ouviu alguém chorando.

– Onde estão todas as minhas cenouras? – repetia Janjão. – O que vou comer agora?

Zuzu não havia imaginado que Janjão não teria o que comer se pegasse todas as cenouras dele. Então, ele foi falar com Janjão:

– Eu peguei suas cenouras porque pensei que você pudesse plantar outras. Não queria lhe fazer mal, desculpe-me.

Depois desse acontecimento, Janjão ensinou Zuzu a cultivar sua própria horta, e os dois se tornaram grandes amigos.

19 agosto

A TEIMOSA ARANHA NATY★

Era uma vez uma aranha muito teimosa chamada Naty.

Ela queria, de qualquer jeito, construir sua teia em um vão entre duas paredes, onde batia a água da chuva. A dona barata Cascuda tentou alertá-la:

– Naty, sua teia não vai durar nem um dia nesse vão. E o céu hoje está muito escuro. Acho que vai chover!

– Você não sabe de nada, Cascuda. Vou construir minha teia aqui e pronto! – teimou a aranha.

Dona Cascuda sabia que não adiantava discutir com Naty, ela era um poço de teimosia. Então, virou as costas e foi para casa.

VEIO A CHUVA FORTE...

Naty passou a tarde toda tecendo sua teia. Quando o dia chegou ao fim, dito e feito: o céu ficou escuro, as nuvens se juntaram, veio a chuva forte e destruiu a teia da pequena aranha.

– Poxa, a dona Cascuda tinha razão – lamentou Naty.

Sem ter onde dormir, ela pediu abrigo à dona barata, que a recebeu muito bem:

– Sou sua amiga e não deixarei você ao relento. Mas, da próxima vez, não seja teimosa e ouça meus conselhos.

E, assim, as duas tomaram um chá para se esquentarem e passaram a noite protegidas da chuva.

21 agosto

O CACHORRINHO MIMI

Por acaso alguma vez você já viu cachorro que tem medo de gato? O cachorrinho Mimi tem pavor de gato! Basta ouvir um miado ou ver um gato que ele sai correndo. Você sabe por que ele tem esse nome?

Pensou que é porque ele tem medo de gato? Não. É porque ele adora comer mingau. Mas por que o cachorrinho Mimi tem tanto medo de gato?

Bem, essa é uma outra história. Até hoje, ninguém sabe. Você pode ajudar o cachorrinho Mimi a deixar de ter medo de gato?

O que você diria para ele se o visse fugindo de um gato?

IARA

Um jovem índio pescava tranquilamente, quando ouviu um delicado canto feminino. Completamente hipnotizado, jogou-se nas águas para encontrar a dona daquela voz. Era Iara, uma linda mulher com cauda de peixe que atraía os homens para o fundo do rio com seu canto irresistível.

Seria o fim do rapaz, não fosse um peixe se agitar e acordá-lo de sua sonolência. Ele voltou para a aldeia, mas não era mais o mesmo, só pensava na Iara. Por fim, o pajé da tribo o livrou do feitiço, e ele nunca mais foi pescar.

23 agosto

O SEGREDO DA BORBOLETA★

A borboleta Violeta era muito amiga de todos no jardim, mas ela nunca convidava os outros para irem à sua casa, e isso virou especulação entre os moradores.

– Eu acho que ela deve guardar muitas flores cheias de néctar lá – disse a abelha.

– Que nada, ela deve fazer bolos deliciosos e não quer dividir com ninguém – completou a cigarra.

A verdade era que todos queriam saber o que havia na casa de Violeta, mas ninguém tinha coragem de perguntar a ela. Até que, um dia, a pequena formiga Bica resolveu entrar escondida na casa da borboleta.

A ARTISTA VIOLETA

A formiga esperou Violeta sair e, pata por pata, entrou calada no lar da borboleta. Quando chegou lá dentro, ela ficou chocada com o que viu: quadros com pinturas lindas.

– Então, esse é o segredo da borboleta? Ela é uma artista! – disse a formiga.

Violeta pintava muito bem, mas tinha vergonha de mostrar sua arte. Porém, a pequena formiga, com a ajuda dos outros insetos, organizou uma exposição surpresa com as obras de Violeta e mostrou o talento dela a todos. A borboleta ficou muito feliz e, depois disso, sua casa vivia cheia de visitas.

A BELA E A FERA★

Bela era a mais nova e amorosa de três irmãs. Um dia, quando seu pai saiu para ir à cidade, ela pediu que lhe trouxesse uma rosa. Ele procurou, mas não achou o presente. Então, achou que não teria problema se pegasse uma rosa no jardim do castelo que havia no caminho. Mas a casa pertencia ao terrível Fera, que ficou muito bravo. O pai de Bela desculpou-se e disse que a rosa era para uma de suas filhas, mas Fera esbravejou:

– Você deve me dar uma de suas filhas até o anoitecer ou perderá sua vida por ter pego a rosa.

26 agosto

CONHECENDO FERA MELHOR

Bela não pensou duas vezes para poupar a vida de seu pai e foi viver com Fera que, apesar da aparência, era gentil e amoroso. Certo dia, ela descobriu que o pai estava doente e foi visitá-lo, mas não retornou para o castelo, e Fera ficou muito triste.

Ao retornar à casa de Fera, Bela o encontrou desacordado. Foi quando percebeu que estava apaixonada por ele e deu-lhe um beijo que o transformou em um lindo príncipe. Assim, Fera se livrou do feitiço que o prendia àquele corpo assustador, e eles viveram felizes para sempre.

CAMINHÃO DE BOMBEIROS

Olá, eu sou o Caminhão de Bombeiros. Estou sempre pronto para atender a qualquer chamada de emergência, seja para combater incêndios ou ajudar em acidentes. Sou muito feliz por poder ajudar as pessoas.

Às vezes, saio em disparada, pensando que vou socorrer alguém, mas, na verdade, estou sendo vítima de um trote. Isso me deixa muito triste, pois assim deixo de ajudar pessoas que realmente precisam.

Quando você precisar de um socorro dos bombeiros, basta ligar 193 que vamos socorrê-lo!

28 agosto

BAMBI

O nascimento de Bambi, filho de um cervo muito respeitado, alegrou a todos na floresta. O novo príncipe dos animais brincava e se divertia com os amigos, em especial o coelhinho e o gambá. Quando chegou o inverno, Bambi saiu com sua mãe à procura de alimentos, mas, durante o passeio, malvados caçadores tiraram a vida dela, e Bambi sofreu muito.

Com o carinho dos amigos e o apoio do pai, ele cresceu e aprendeu grandes lições de vida e de amor, tornando-se rei da floresta e protegendo a todos.

VOVÓ ZUZU★

Era uma vez uma senhora que adorava contar histórias para suas netinhas Patrícia e Paola. A vovó Zuzu, como era chamada, sentava todas as tardes na varanda de casa para alegrar as meninas e as crianças da vizinhança com suas histórias.

– Sua avó é a melhor avó do mundo! – dizia Paulo, um dos amiguinhos de Patrícia.

– Eu também acho, Paulinho. Vovó Zuzu está sempre de bom humor e, além de contar histórias divertidas, ela ainda faz um delicioso bolo de fubá para o café da tarde – orgulhava-se Patrícia.

Não havia criança que não gostasse de Zuzu.

CUIDANDO DA VOVÓ

Certo dia, ao se reunirem na varanda esperando pela vovó, as crianças estranharam o fato de ela não ter aparecido, e Paulinho tocou a campainha da casa. A pequena Paola atendeu e explicou que Zuzu estava gripada, portanto não poderia contar histórias naquele dia.

As crianças, muito solidárias, levaram bolo, chá e um lindo desenho que fizeram para a vovó.

Zuzu ficou tão feliz com o carinho das netas e dos pequenos que logo se recuperou e reuniu todos para ouvirem suas encantadoras histórias.

– Vocês são a minha maior alegria – disse vovó Zuzu, rodeada de crianças.

31 agosto

UIRAPURU

Duas índias muito amigas apaixonaram-se pelo mesmo guerreiro da tribo. O conselho de anciões decidiu que ele se casaria com aquela que primeiro conseguisse flechar um marreco voando. A índia que perdeu não suportou ficar sem seu amor e sem sua amiga. Procurou um lugar distante e chorou tanto, que suas lágrimas se transformaram num riacho. Implorou a Tupã para acabar com seu sofrimento. Ele atendeu e a transformou no uirapuru, um pássaro que tem um canto lindo e harmonioso. Quando ele canta, a floresta silencia.

A ILHA DO TESOURO*

O garoto Jim Hawkins, depois da morte do marujo Bill Bones, apoderou-se do mapa do tesouro que o falecido havia deixado e fugiu da estalagem em que vivia. Ele partiu de navio para a Ilha do Tesouro com seus companheiros, doutor Livesey e lorde Trelawney. Juntou-se a eles Long John Silver, um homem com uma prótese de madeira em uma das pernas e um papagaio no ombro. Na verdade, Long John iria rebelar-se e apoderar-se do mapa. Jim descobriu os planos do traidor e avisou seus amigos.

DE VOLTA PARA CASA

Já na ilha, Jim encontrou o velho Ben Gunn, que três anos atrás havia sido deixado lá. Ben contou a Jim que havia feito um barco, e o garoto o usou para esconder o navio dos piratas. Jim acabou prisioneiro de Long John, que negociou a vida do garoto por sua saída da ilha. Houve muita luta, mas os piratas foram derrotados. Jim e seus amigos conseguiram retornar com parte do tesouro da ilha, pois a outra parte havia sido roubada por Long John Silver.

A FAZENDA ESPERANÇA*

Era uma vez uma fazenda chamada Esperança, onde viviam muitos animais: porcos, galinhas, cavalos, vacas, coelhos, ovelhas, enfim, um lugar encantador e repleto de bichinhos. E, para eles, tudo era motivo de festa. Afinal, todo mês um dos moradores fazia aniversário, e a comemoração rolava solta no celeiro.

Mas, quando chegou o mês de junho, a fazenda silenciou, pois não havia nenhum bichinho entre tantos que fosse ficar mais velho. Então, o senhor coelho teve uma ideia:

– Podemos fazer uma festa junina igual à que o fazendeiro faz na cidade!

04 setembro

A GRANDE FESTA

Os animais adoraram a ideia e começaram os preparativos para a primeira festa junina da fazenda Esperança. O cavalo, que sempre acompanhava o fazendeiro na cidade, deu muitas dicas:

– Festa junina tem que ter bolo de milho, pipoca, arroz-doce, suco, fogueira, muitas bandeirinhas e muita música também.

Cada bichinho ajudou como podia, e, quando a noite caiu, o celeiro ficou todo enfeitado e repleto de comidas gostosas. Os animais comemoraram muito e, daquele dia em diante, não havia um mês no ano em que a fazenda Esperança não tivesse uma grande comemoração.

RAPUNZEL*

Rapunzel vivia no alto de uma torre desde criança. Somente a feiticeira que havia prendido a moça lá podia visitá-la. Quando queria vê-la, a malvada gritava:

– Rapunzel, jogue seus cabelos!

Certo dia, um príncipe viu a cena e pediu a Rapunzel que jogasse seus cabelos para ele subir até ela. Eles se apaixonaram e decidiram fugir.

Mas a feiticeira descobriu os planos dos dois, cortou o cabelo de Rapunzel e disse ao príncipe que ela havia morrido. Desesperado, ele desequilibrou-se do alto da torre, caiu em um espinheiro e ficou cego.

O REENCONTRO

Rapunzel conseguiu fugir da feiticeira e, certo dia, o príncipe cego, vagando pela floresta, ouviu o canto de sua amada. Assim, eles puderam se reencontrar.

Muito triste ao perceber que o príncipe havia ficado cego, Rapunzel chorou. Uma de suas lágrimas caiu sobre os olhos dele, devolvendo-lhe a visão.

Os dois voltaram ao reino onde ele morava e viveram felizes para sempre, aprendendo que a persistência e a esperança nunca devem morrer.

07 setembro

O SAPO DANTE★

O sapo Dante vivia perto de uma grande lagoa. Mas, apesar disso, ele dificilmente tomava banho. Os bichinhos que passavam por ele sempre o questionavam:

– Dante, como pode você morar quase dentro d'água e não gostar de se molhar? – perguntou o grilo Murilo.

– Não é porque moro aqui que preciso tomar banho sempre. Basta um banho por mês, e já está muito bom – respondeu Dante.

Os outros insetos e animais que também viviam perto da lagoa achavam um absurdo o sapo tomar banho apenas uma vez em trinta dias.

08 setembro

O BANHO DE DANTE

Todos começaram a pegar no pé de Dante. A borboleta Leda, muito atrevida, teve uma ideia para fazer o sapo se lavar. Ela decidiu contar a todos sobre esse estranho hábito de Dante, e saiu cantarolando pela lagoa:

– O sapo não lava o pé, não lava porque não quer. Ele mora lá na lagoa e não lava o pé porque não quer. Mas que chulé está saindo do seu pé!

Depois disso, Dante se envergonhou e passou a tomar banho todos os dias. Assim, sempre que algum bichinho ia visitá-lo, ele estava muito limpinho e cheiroso.

A BEZERRINHA MIMOSA★

Mimosa era uma bezerrinha malhada que, desde que nasceu, sempre ficava junto de sua mamãe. Ela não brincava com os outros animais da fazenda nem tinha coragem de fazer coisas diferentes daquelas com as quais estava acostumada.

Até que, certo dia, a mamãe de Mimosa foi levada para participar de um festival de animais. Quando Mimosa acordou, sua mamãe já havia partido. A bezerrinha demorou para sair do curral, ficou imaginando o que faria durante um dia todo sem sua mamãe.

O que ela iria comer? Como poderia passear sozinha naquele pasto imenso?

CAMINHANDO SOZINHA

Quando Mimosa sentiu fome, caminhou devagar para fora do curral, até encontrar espigas de milho fresquinhas. Enquanto comia, ela ficou observando o pasto à sua frente.

Ao sentir uma leve brisa, Mimosa se encheu de coragem e começou a correr pelo pasto. Ao vê-la sozinha, outros animais se aproximaram para brincar. Eles passaram o dia juntos e Mimosa ficou muito feliz, tanto que nem viu sua mamãe chegar com o prêmio do festival.

À noite, Mimosa se deitou no curral e contou para a mamãe tudo o que havia acontecido. Depois adormeceu e sonhou com aquele dia maravilhoso.

ESPERANÇA E A FESTA DO JARDIM

A fadinha Esperança e as fadinhas trigêmeas estavam muito animadas com os preparativos da festa que estava prestes a acontecer. Foi quando as trigêmeas notaram que ainda faltava o suco. Elas foram com Esperança ao encontro da joaninha Aninha, que levaria o suco de néctar, e encontraram-na chorando porque tinha deixado o suco cair.

O encantamento feito pelas trigêmeas não deu certo, até que Esperança as ajudou e um novo suco apareceu dentro das jarras. Viva! A festa estava salva!

FLORZINHA

Oi! Eu sou a boneca Florzinha. Gosto muito de estar perto da natureza. Adoro os animais, os rios e principalmente as plantas.

Eu tenho um lindo jardim na frente de casa e cuido muito bem dele. No meu jardim, há violetas, margaridas, rosas e muitas outras flores. Elas são lindas e exalam um suave perfume no ar! Os passarinhos sempre vêm visitá-las. Eles também gostam das flores.

Eu rego, coloco adubo na terra e tiro as folhas mortas do meu jardim. Faço tudo com muito amor e carinho, para que fique sempre lindo.

13 setembro

A BARATA DIZ QUE TEM...★

Era uma vez uma baratinha muito metida chamada Cuca. Ela vivia dizendo aos outros insetos que tinha tudo do bom e do melhor.

– Eu tenho sete saias de filó, um anel de formatura, um sapato de veludo e durmo em uma colcha de cetim.

– Ué, mas eu nunca vi você usando nada disso, Cuca – disse a abelha Zazá.

Cuca ficava furiosa quando alguém duvidava dela.

– Eu tenho, sim! E você não acredita porque não pode ter tudo isso!

Zazá desconfiava que a baratinha mentia, mas não tinha como provar. Então, deixava Cuca dizer que era dona de tudo aquilo mesmo.

O QUE A BARATA REALMENTE TEM

Certo dia, ao encontrar Cuca com sua mãe, a abelha Zazá perguntou à dona barata se sua filha possuía todas aquelas coisas chiques mesmo. Surpresa, a mãe de Cuca disse:

– Imagina! Ela tem apenas uma saia de filó. Nada de anel de formatura, ela tem a casca dura. No lugar do sapato de veludo, ela tem a pata peluda. E quanto à colcha de cetim, coitada, ela dorme no capim.

Cuca ficou muito envergonhada, mas aprendeu que nunca se deve faltar com a verdade. Afinal, um dia ela sempre aparece.

PASSEANDO PELA FLORESTA

As bonecas Coraçãozinho e Cachinhos resolveram dar uma volta pela floresta e lá encontraram Florzinha preparando uma grande festa.

– O que vocês vão festejar, Florzinha? – perguntou Coraçãozinho.

– Vamos comemorar a chegada da primavera, a mais bela e colorida das estações – respondeu Florzinha.

– Poxa, que divertido! E nós podemos ajudar e participar da festa? – perguntou Cachinhos.

Florzinha aceitou a ajuda das outras duas e, juntas, elas deixaram tudo lindo e cheio de cores para a chegada da primavera.

16 setembro

AJUDANDO UMA AMIGA

A boneca Amiguinha estava chorando em seu jardim. Ao ver isso, a boneca Sorrisinho perguntou a ela qual era o motivo das lágrimas.

– Eu perdi a chave da minha casa, Sorrisinho. Agora não tenho como entrar – respondeu Amiguinha.

A dona do sorriso mais contagiante não conseguia ver ninguém triste e logo começou a ajudar Amiguinha a procurar sua chave.

– Achei! Agora você pode entrar em casa! – comemorou Sorrisinho.

Como forma de agradecimento, Amiguinha fez um delicioso chá com biscoitos, e as duas passaram uma agradável tarde batendo papo.

17 setembro

O SABE-TUDO*

Caio era um menino muito esperto e inteligente, mas que não gostava de ir à escola.

– Mãe, eu já sei tudo, não preciso estudar – dizia ele.

– O que é isso, filho? Ninguém nasce sabendo; nós sempre aprendemos algo novo, e a escola é muito importante para você se tornar uma pessoa melhor – respondia a mãe do garoto.

Todos os dias era a mesma história: a mãe de Caio precisava conversar muito com ele para convencê-lo a ir à escola. Até que, um dia, quando foi acordar o menino, ela percebeu que ele estava com muita febre e levou-o ao médico.

18 setembro

SAUDADES

O médico constatou que Caio estava muito gripado e deu a ele uma semana de repouso, sem ir à aula. O garoto adorou a notícia.

Porém, conforme os dias passavam, Caio percebeu que sentia falta dos colegas, dos professores e até mesmo de fazer a lição. Notando sua tristeza, a mãe perguntou o que estava acontecendo e, para sua surpresa, Caio respondeu:

– Sinto saudades da escola.

– Fico feliz que você sinta isso, sabia? A escola é um bem essencial e necessário. Logo você frequentará as aulas novamente – aconselhou a mãe.

E assim que melhorou, Caio voltou feliz para a escola.

O LAGO DOS CISNES*

Odete e sua família moravam em uma região onde havia lindas paisagens e montanhas.

Nesse mesmo lugar, também morava um feiticeiro. Ele tinha uma linda filha chamada Odile. O feiticeiro desejava muito que ela se casasse com o futuro rei, por isso, teve uma ideia: transformar todas as meninas em cisnes. Ele começou por Odete, que tinha uma beleza encantadora. Durante o dia, ela era um cisne; à noite, voltava à forma humana. A mãe de Odete ficou muito triste e chorou muito, por vários dias. Ela chorou tanto que suas lágrimas formaram um lago.

O PLANO DO FEITICEIRO*

Alguns dias depois, o príncipe finalmente chegou ao seu futuro reino. Logo ele quis sair para explorar os arredores da floresta. E foi assim que ele avistou o lago dos cisnes, onde conheceu Odete, por quem logo se apaixonou. Odete lhe contou sobre o feitiço e disse que tudo teria um fim quando ela se casasse com um homem leal.

O príncipe a pediu em casamento e também a convidou para o baile que daria naquela noite.

Porém, eles não imaginavam o quanto o feiticeiro era astuto. Então, ele transformou sua filha Odile em Odete.

21 setembro

O PRÍNCIPE E ODETE

O baile começou, e as moças do reino foram chegando aos poucos.

O príncipe esperava por sua amada, mas quem chegou foi Odile, transformada em Odete. Quando Odete chegou, viu o príncipe se declarando para a filha do feiticeiro.

Muito triste, ela saiu do baile em direção ao lago; o príncipe correu atrás dela para explicar que havia sido enganado. Eles conversaram, e ela o perdoou. Então, ali na beira do lago, onde Odete passou tantos dias na forma de um cisne, o príncipe declarou o seu amor por ela, quebrando o feitiço, para juntos poderem ser felizes.

O CANTO DO SABIÁ

Numa floresta morava um sabiá que, todas as manhãs, saudava o nascer do sol. Ali perto, morava uma menina que ficava horas ouvindo-o. Certa manhã, porém, o sabiá não cantou. Triste, a menina o procurou em todo lugar. Desesperada, escreveu-lhe um bilhete numa folha seca, que o vento levou. Quando o sabiá leu o bilhete, explicou:

– Vento, fugi porque você arrancou o meu ninho dos galhos da árvore.

Quando o vento devolveu-lhe o ninho, o sabiá voltou a cantar; e a menina, a sorrir.

O PORCO AZUL

Era uma vez um porco chamado Didi, que, ao sair para passear, caiu em uma poça de tinta azul. Ele ficou triste, pois pensou que todos iriam caçoar dele na fazenda.

– Didi, o que aconteceu? – perguntou o rato.

– Eu me sujei de tinta. Sei que ninguém gostará mais de mim por não ser igual aos outros porcos – falou Didi.

Mas, para a surpresa do porco, os bichos da fazenda adoraram sua cor e, com muita sabedoria, a dona vaca disse a ele:

– Didi, gostamos de você porque é divertido, companheiro... Não importa se é cor-de-rosa ou azul, desde que seja você mesmo!

24 setembro

UMA TARDE NO PARQUE

As bonecas Chuquinha e Sapequinha foram passear no parque. Chegando lá, Sapequinha logo pegou papel e tinta para fazerem lindos desenhos.

– Chuquinha, eu adoro brincar de colorir e sei que você também vai se divertir muito desenhando – disse Sapequinha.

– Oba! Claro que vou gostar! Mas, lembre-se, depois que terminarmos, vamos lavar bem as mãos para comer o delicioso lanche que preparei para nós – falou Chuquinha.

Com muita brincadeira, cores e carinho, as duas bonecas passaram uma divertida tarde no parque.

25 setembro

CONTANDO HISTÓRIAS

Madá estava na praça contando uma história para Gisa. Era a história da princesa que tinha ido salvar o príncipe do dragão:

– Madá, não é o príncipe que salva a princesa? – perguntou Gisa.

– Não, na minha história, a mulher é a heroína, e o homem é indefeso e frágil – explicou Madá.

– Interessante, Madá.

Conforme contava a história, Madá representava o que acontecia. Aos poucos, uma multidão foi se formando, e todos aplaudiram ao final.

– Você é uma artista nata, Madá! – elogiou Gisa.

– Ah, Gisa, mas eu não sou leite! – concluiu Madá.

26 setembro

O MACACO NANICO

Em todas as histórias, todo macaco adora comer banana. Você sabe o que o macaco Nanico adora comer? Será que é banana-nanica? Não, ele gosta de comer todas as frutas que encontra caídas pelo chão.

Então, por que será que o macaco Nanico tem esse nome? Pensou que é porque ele é baixinho? Não, é porque ele gosta de fazer xixi no penico!

Seus amigos sempre diziam:

– Não no penico, não no penico!

E acabou ficando Nanico!

Ao contrário de outros macacos, Nanico não gosta de subir em árvores. Sabe por quê? É porque não há penico lá em cima!

BOMBEIROS HERÓIS

Fox, o gato de dona Lili, era sapeca e adorava subir em árvores. Certo dia, ele provocou um cachorro e, para se salvar, teve que correr para o topo da árvore mais alta da rua. Porém, quando chegou lá em cima, quem disse que ele conseguia descer?

– Fox, como vou tirar você daí? – disse dona Lili, preocupada.

– Vamos chamar os bombeiros – lembrou o vizinho Dudu.

Rapidamente, o caminhão dos bombeiros chegou e, com cuidado, eles salvaram Fox.

– Muito obrigada! Vocês são verdadeiros heróis – agradeceu dona Lili.

Depois dessa aventura, Fox nunca mais quis subir em árvores.

28 setembro

O TALENTO DA BARATA

A barata Jurema era esperta e fazia seus próprios sapatos. As formigas admiravam o talento dela.

– Jurema, você deveria abrir uma loja para vender os sapatos que produz – disse uma das formiguinhas.

– Como posso fazer isso se não sei o gosto de vocês? Eu faço os sapatos de acordo com as minhas preferências – respondeu Jurema.

– Sim, mas posso garantir que você tem bom gosto e tenho certeza de que seria um sucesso – respondeu a formiga.

Jurema pensou melhor; seguindo o conselho da amiga, abriu uma loja de sapatos e conquistou muitas clientes.

OS TRÊS PORQUINHOS

Três porquinhos decidiram construir, cada um, a sua própria casa.

O mais novo fez uma casa de palha, e o do meio, uma de madeira. Porém, o lobo faminto destruiu as casas dos dois assoprando forte. Apavorados, eles correram para o lar do porquinho mais velho, que construiu uma casa de tijolos.

O lobo assoprou, assoprou, mas não conseguiu destruir a casa. Muito bravo, entrou pela chaminé, mas o porquinho, esperto, colocou um caldeirão de água fervendo na lareira, que assustou o lobo e o fez fugir para nunca mais voltar.

A POMBA E A FORMIGA

Certo dia, uma pomba pousou na beira de um lago e ouviu um pedido de socorro. Era uma formiga que estava se afogando. Depressa, a pomba jogou na água uma ervilha que encontrou ali. A formiga conseguiu subir nela e boiou até a margem; depois, agradeceu à pomba pela ajuda.

Pouco depois, a formiga viu um caçador apontando sua flecha em direção à pomba pousada no alto de uma árvore. Esperta, a formiga picou a perna do caçador, que deu um grito e errou o alvo. Ao ouvir o barulho, a pomba saiu voando.

Moral da história: quem ajuda sempre será ajudado!

01 outubro

PINÓQUIO★

Feito pelo marceneiro Gepeto, Pinóquio era um boneco de madeira que sonhava em ser um menino. Certa noite, a fada azul apareceu e lhe deu vida, fazendo-o prometer que seria sincero e obediente. Gepeto ficou muito feliz e, com sacrifício, comprou uma cartilha para o boneco ir à escola.

A caminho do primeiro dia de aula, Pinóquio viu um teatro de marionetes e quis assistir ao espetáculo, mas não tinha dinheiro. Então, um vendedor de livros se propôs a comprar a cartilha pelo preço do ingresso e, mesmo hesitando, Pinóquio aceitou.

02 outubro

AS CONFUSÕES DE PINÓQUIO

Depois do espetáculo, Pinóquio não voltou para casa e ainda arrumou várias confusões na cidade e na floresta. Cada vez que mentia a respeito de algo, seu nariz crescia.

Após passar por vários apuros, Pinóquio foi para casa e descobriu que Gepeto havia sido engolido por uma baleia enquanto o procurava. Arrependido, o boneco saiu em busca do pai e o salvou, pedindo desculpas pela desobediência.

Diante do arrependimento de Pinóquio, a fada azul realizou seu desejo e o transformou em um menino de verdade.

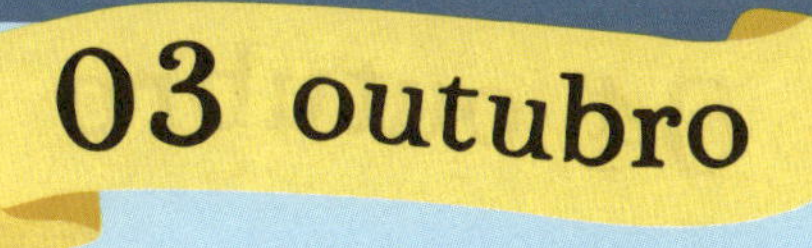

O FLAUTISTA DE HAMELIN*

Há muitos anos, na cidade de Hamelin, Alemanha, os moradores acordaram com um grande problema: havia ratos ocupando cada canto da cidade.

Os moradores tentaram várias coisas para acabar com todos aqueles ratos, mas nada funcionou. Como ninguém solucionou o problema, eles decidiram oferecer uma boa recompensa para quem desaparecesse com aqueles roedores.

Logo apareceu um homem. Ele prometeu que acabaria com todos os ratos da cidade. Ao ouvirem isso, os moradores prometeram lhe pagar assim que a cidade estivesse sem roedores.

04 outubro

CONDUZINDO OS RATOS*

No dia seguinte, o homem pegou sua flauta e começou a tocá-la pela cidade. Ele tocava muito bem. Era encantador ouvir o som suave que saía de sua flauta. De repente, os ratos começaram a segui-lo, e ele os conduziu por uma estrada bem longa.

No final dessa estrada, o flautista atravessou um rio; os ratos, ao atravessarem para segui-lo, caíram e morreram afogados.

Assim, a cidade de Hamelin ficou livre dos ratos, e as pessoas voltaram a viver normalmente.

05 outubro

O PAGAMENTO JUSTO

Quando o flautista foi cobrar o dinheiro prometido, os moradores não quiseram pagar.

O flautista ficou furioso com toda aquela situação e começou a tocar novamente sua flauta. Mas, dessa vez, não foram os ratos que o seguiram, mas as crianças da cidade. Quando os adultos se deram conta, não havia uma criança sequer nos arredores. Apavorados e arrependidos, eles procuraram o flautista e lhe deram o dinheiro prometido. Assim, as crianças voltaram para a cidade dançando ao som da música do flautista de Hamelin.

O COELHO DENTUÇO

Quando o coelho Dentuço não estava brincando, estava comendo cenouras. Ele comia cenouras todos os dias. Até que, um dia, as cenouras acabaram! E agora, o que o coelho Dentuço vai comer?

Pensou em arroz e feijão? Não, não pode ser arroz e feijão. Coelhos não comem arroz e feijão como nós, apesar de esse ser um prato muito apetitoso!

Pensou em alface? Não, ele não pode comer alface, pois faz mal para ele.

E agora? Bem, agora ele vai precisar da sua ajuda. O que você acha que ele deve comer? Você pode encontrar outro alimento para ele?

A BELA ADORMECIDA

Quando a filha do rei e da rainha nasceu, eles fizeram uma grande festa e convidaram 12 fadas. Mas houve uma fada que não foi chamada e apareceu de surpresa, lançando um encantamento que faria a princesinha morrer aos 15 anos, depois de furar o dedo em uma agulha. Nada poderia desfazer o encanto, mas uma das outras fadas o amenizou, para que a princesa apenas adormecesse.

Assim, o encantamento se realizou, e a princesa adormeceu por 100 anos, até que um príncipe a encontrou e deu-lhe um beijo apaixonado, desfazendo o encanto. E eles viveram felizes para sempre.

08 outubro

APOSTANDO CORRIDA

Velox, o carro mais rápido de todos, e Fukita, o fusquinha cor--de-rosa, decidiram apostar corrida.

– É claro que vou ganhar, eu já fui um profissional das pistas – disse Velox.

– Mas eu sou muito esperta. Não conte com a vitória antes de a prova terminar – afirmou Fukita.

Foi dada a largada e eles saíram em disparada. Velox estava na frente, mas Fukita guardou seu esforço para o final. Nos últimos metros, o pneu de Velox furou, e ele teve que parar. Fukita o alcançou e o ajudou.

Assim, os dois atravessaram juntos a chegada. A amizade foi a vencedora!

A MENINA QUE TINHA MEDO DE TRATOR

Maria vivia em uma fazenda e tinha muito medo de trator. A garota achava que aquela grande máquina iria se mover na direção dela e pegá-la, assim como fazia com a terra.

O motorista do trator, vendo o medo transparecer nos olhos arregalados de Maria, certo dia, foi até ela e a convidou para dar uma volta no veículo. Ela não queria ir, mas sua mãe disse que nada de ruim lhe aconteceria. Então, a menina aceitou.

Depois de andar no trator e ver que ele não era aquele monstro que pensava, Maria nunca mais fugiu do gigante de aço.

CHAPEUZINHO VERMELHO★

Chapeuzinho Vermelho era uma doce menina, conhecida por usar sempre uma capa vermelha.

Certo dia, a sua avó ficou doente, e sua mãe pediu que ela levasse uma cesta de doces para a vovó. No caminho, Chapeuzinho Vermelho se distraiu com as flores e nem percebeu que o Lobo Mau se aproximava, querendo saber aonde ela ia com aquela cesta.

Depois de conversar um pouco com a menina, o Lobo correu até a casa da vovó, trancou-a no guarda-roupa e deitou-se na cama dela.

SALVANDO A VOVÓ

Quando Chapeuzinho Vermelho chegou, estranhou as feições diferentes da avó, que estava com os olhos, a boca e o nariz muito grandes.

De repente, o Lobo saltou sobre a menina para devorá-la, mas Chapeuzinho fugiu correndo pela floresta à procura de ajuda. Um caçador que passava por perto ouviu seus gritos e foi salvá-la.

Chegando lá, ele espantou o Lobo Mau, que prometeu nunca mais assustar ninguém.

Chapeuzinho Vermelho, a vovó e o caçador terminaram a tarde comendo os deliciosos doces da cesta.

OS BRINQUEDOS DE DUDA*

Duda era uma garota que adorava ganhar brinquedos. Sempre que alguém a visitava, levava uma boneca, jogo ou ursinho para dar de presente.

– Oba! Brinquedos novos! Significa que posso colocar os da semana passada lá no quartinho – dizia Duda.

Assim, a garota ia acumulando brinquedos novos, pois toda semana ganhava alguma coisa. A mãe de Duda a aconselhava:

– Filha, o que você acha de doar alguns de seus brinquedos para quem precisa? Existem muitas crianças que não têm nada para brincar.

Mas Duda não gostava de dividir suas coisas e preferia guardar os brinquedos a dar para alguém.

13 outubro

APRENDENDO A LIÇÃO

Certo dia, enquanto brincava com suas bonecas na garagem de casa, Duda viu um garoto na calçada tentando entrar em uma caixa de papelão.

– O que você está fazendo? – ela perguntou, curiosa.

– Estou indo para o meu mundo fantástico. Lá, eu posso me divertir e ser quem eu quiser – respondeu o garoto.

Duda se surpreendeu com as palavras do menino e, a partir daquele dia, percebeu que, para se divertir, ela não precisava ter muitos brinquedos; bastava dar asas à imaginação. Então, ela doou parte de seus presentes e passou a valorizar as coisas simples.

14 outubro

FABINHO E SEU PÉ DE MILHO*

Fabinho era um menino que gostava muito de visitar sua avó na fazenda.

– Vovó, eu adoro passar o dia aqui junto aos animais e perto da natureza – dizia ele.

A avó ficava muito contente com a presença do neto e, em uma de suas visitas, deu a ele sementes de milho para plantar. O garoto vibrou de felicidade e toda vez que chegava na fazenda ia correndo ver como estava sua plantação.

– As espigas estão começando a crescer – falou, animado.

– Que bom, Fabinho, isso quer dizer que você plantou com muito amor – comentou a vovó.

15 outubro

COLHENDO OS FRUTOS

Tempos depois, Fabinho levou os amigos à fazenda para conhecerem sua plantação. Os pés de milho estavam com espigas enormes, prontas para serem colhidas.

– Fabinho, que tal fazermos um delicioso festival de milho, com pamonha, suco, bolo e milho cozido? – sugeriu a avó.

– Que ótima ideia. Vamos começar já! – concordou Fabinho.

Assim, ele e os amigos, com a ajuda dos adultos, colheram as espigas e fizeram deliciosos pratos para saborear.

16 outubro

O JACARÉ ZEZÉ*

Era uma vez um jacaré chamado Zezé. Ele vivia no rio que cortava a floresta. Alguns bichos tinham medo de Zezé, pois dizia a lenda que ele devorava os animais que caíam na água, mas ninguém havia presenciado tal fato.

– Eu não quero saber se é verdade ou mentira, só sei que nem chego perto da margem – disse o medroso coelho.

– Pois eu acho que tudo isso é conversa. Sempre que passo perto do rio, Zezé está lá tranquilo e sossegado – falou a tartaruga.

Os dois amigos continuaram conversando até o cair da tarde. Então, cada um foi para sua casa.

A CORAJOSA TARTARUGA

No caminho para casa, a dona tartaruga passou pela beira do rio, não se conteve e foi puxar assunto com Zezé, que estava quietinho em seu canto.

– Ei, Zezé, é verdade mesmo que você devora qualquer bicho que cair aí dentro? – perguntou ela.

– Isso é conversa! Acontece que uma lebre caiu aqui, e a correnteza a levou rio abaixo. Desde então, todos pensam que eu a comi – disse o jacaré.

Feliz por descobrir a verdade, a tartaruga logo contou a história aos outros bichos. Depois disso, os animais não tiveram mais medo do jacaré, e todos passaram a ser amigos dele.

BALAS, BISCOITOS E PIRULITOS*

– Eu quero! Este, este e aquele! – exclamou Juninho.

– Juninho, assim você vai ficar com dor de barriga! Comer muitos doces faz mal à saúde – alertou sua tia Tânia.

– Vou comer um de cada vez, aos pouquinhos.

– E você vai querer todos estes?

– Não são só para mim, estou pegando para dividir com o Dudu e a Elaine.

Assim que eles chegaram do supermercado, enquanto a tia Tânia preparava o almoço, Juninho pegou as sacolas com balas, biscoitos e pirulitos e foi para a garagem. Escondido onde ninguém o encontraria, ele comeu todas as guloseimas, sem deixar nem um pouquinho para seus dois primos.

AI, MINHA BARRIGA!

– Juninho, venha almoçar! O Dudu e a Elaine já estão chegando...

– Tia, não estou me sentindo bem. Não vou conseguir comer.

– Pode ser fome – a tia Tânia falou, mesmo já tendo percebido que o garoto tinha aprontado algo. – Venha, preparei arroz, feijão, carne cozida, legumes e salada.

Juninho estava se sentindo tão mal que não conseguia pensar em comida, mesmo sabendo que a comida da tia era deliciosa. Então, contou o que havia feito e pediu desculpas.

– Você tinha razão, tia. Comer muitos doces não é tão bom assim. Agora aprendi a lição – concluiu Juninho.

20 outubro

UM DIA NO CAMPO

A boneca Limãozinho foi visitar sua amiga, a boneca Fazendinha, que morava no campo.

– Que maravilha de lugar, Fazendinha. Aqui há muitas frutas gostosas, como maçã, pera, uva, banana, jabuticaba, laranja... – disse Limãozinho.

– Isso mesmo, amiga! Eu adoro este lugar, o ar puro, a companhia dos animais, a comida fresquinha... Não troco isto aqui por nada – elogiou Fazendinha.

Limãozinho gostou tanto da vida no campo que se mudou para lá e foi ajudar Fazendinha a cuidar dos bichos e do imenso pomar repleto de frutas que havia naquele lugar mágico e encantador. Agora, além das maravilhas da natureza, o campo contava com a presença das duas lindas bonecas.

21 outubro

SORRISINHO

Olá! Eu sou a boneca Sorrisinho. Já imaginou por que tenho esse nome? Sim! Eu adoro sorrir.

Ao acordar, dou um lindo sorriso e digo bom dia com muito carinho para o papai e a mamãe!

Na escola, cumprimento os professores, inspetores e colegas de classe com um lindo sorriso.

Sempre que cumprimento alguém com um sorriso, recebo outro sorriso como retribuição. Essa é uma das partes mais legais de sorrir sempre: fazer os outros sorrirem também.

Um sorriso sempre faz o dia ficar mais feliz. Você já sorriu hoje?

RAFAEL E O GNOMO★

Havia um garoto chamado Rafael, que cultivava um lindo jardim no quintal de sua casa.

Certo dia, Rafael percebeu que algo ou alguém estava comendo suas flores.

– As margaridas estão sendo arrancadas – disse, preocupado.

Ele resolveu ficar de guarda durante a noite para ver se conseguia descobrir quem ou o que estava devorando sua plantação.

No meio da madrugada, Rafael viu que havia algo se mexendo no quintal e foi bem devagar na direção de seu alvo. Para sua surpresa, ele deu de cara com um gnomo e ficou intrigado.

23 outubro

UM AMIGO DIFERENTE

– Quem é você e por que você está comendo minhas flores? – o garoto perguntou, bravo.

– Por favor, não brigue comigo. Eu me perdi, então me abriguei aqui e procurei algo para comer – respondeu o pequenino.

Rafael sentiu pena do gnomo e resolveu deixá-lo morar no quintal, já que não era qualquer menino que tinha um ser daqueles como hóspede.

Com o passar do tempo, os dois se tornaram grandes amigos. Rafael dava vegetais para o pequenino comer e, em troca, o gnomo o ajudava a cuidar do jardim, que passou a ficar ainda mais bonito. Assim, surgiu uma amizade diferente e especial.

24 outubro

O SOLDADINHO DE CHUMBO*

Estava tudo escuro na loja de brinquedos. Lá, havia um presente especial que alguém receberia em breve.

Quando o garotinho abriu a caixa, encontrou 25 soldadinhos de chumbo. Porém, um deles foi feito somente com uma perna, mas isso não importava para o menino.

Ele brincou com os soldadinhos a tarde inteira. Ao anoitecer, recolheu todos os soldadinhos e foi dormir.

De repente, os brinquedos começaram a sair da caixa para se divertirem. E, para a surpresa de um dos soldadinhos de chumbo, havia naquele quarto um lindo castelo de papelão.

25 outubro

A PAIXÃO DO SOLDADINHO

No castelo, ele viu uma linda bailarina e, por um momento, pensou que ela também não tinha uma perna. Eles trocaram olhares e se apaixonaram.

No entanto, o duende também gostava da doce bailarina. Aliás, ele não gostou nada dos olhares apaixonados entre o soldado e a bailarina.

No dia seguinte, o garoto colocou os soldadinhos na janela, mas, com o vento, o soldadinho se desequilibrou e caiu do lado de fora.

Enquanto o garotinho o procurava em vão, o soldadinho já estava vivendo muitas aventuras longe dali.

UM AMOR ETERNO

O soldadinho caiu em um canal e foi engolido por um peixe. Ele pensou que nunca mais veria sua amada.

Mas o peixe foi pescado e comprado por alguém da casa do garotinho.

E foi assim que o soldadinho retornou, para a alegria da bailarina.

Porém, em um ato de raiva, o garoto jogou o soldadinho, que caiu direto na lareira. Em seguida, a janela abriu-se e a bailarina, que era feita de papel, também caiu no fogo, que logo a queimou.

O soldadinho derreteu no formato de um coração, e a única coisa que sobrou da bailarina foi uma lantejoula.

A BONECA CACHINHOS

Eu sou a boneca Cachinhos! Gosto muito de me arrumar, principalmente de cuidar do meu cabelo. Ele é cheio de cachinhos. Uma graça!

Faço muitos penteados legais com o meu cabelo e adoro colocar várias fivelas, cada dia de um jeito diferente. Às vezes uso só as amarelas; às vezes, só as azuis; e alguns dias coloco presilhas de todas as cores!

Quando saio para passear, meus cachinhos balançam para lá e para cá.

Gosto muito do meu cabelo da maneira como é e agradeço ao Papai do Céu pelos lindos cachinhos que Ele me deu.

28 outubro

UMA ESTRELA QUE CAIU DO CÉU

Zeca estava contando estrelas quando viu algo brilhante no pomar. Apressadamente, ele se levantou e foi até lá.

Quando chegou, encontrou uma estrela no chão. Ela havia caído do céu e precisava de ajuda para voltar. Zeca a colocou em sua mão e a levou para o alto da colina. Lá, pensou em coisas boas, como as tardes com seu avô, as brincadeiras com seus amigos e o bolo de cenoura de sua mãe. De repente, a estrelinha começou a brilhar e, a cada bom pensamento, ela reluzia mais forte. Então, saiu voando e retornou ao céu, para cintilar ao lado das outras estrelas.

29 outubro

PERDIDO

Era quarta-feira, dia de Zequinha ir à feira com sua tia Joana. Ele achava toda aquela movimentação muito divertida.

Mesmo sabendo que precisava estar sempre perto da tia, naquela quarta-feira, Zequinha acabou se distraindo. Num piscar de olhos, ele já não estava mais ao lado da tia! Ele começou a chamá-la, enquanto corria de um lado para o outro.

De repente, ele sentiu alguém segurar sua mão... Ufa, era a tia Joana! Depois desse susto, Zequinha não andou mais pela feira sem estar de mãos dadas com a tia Joana.

A PRINCESA SOFIA*

A rainha Vitória, mãe da princesa Sofia, era apaixonada por balé. Ela havia sido uma excelente bailarina na juventude.

– Filha, você tem que ser tão boa quanto eu nos palcos. Quando era mais nova, não havia concorrente a minha altura – cobrava a rainha.

– Mas, mamãe, eu não gosto de dançar! Eu gosto mesmo de cozinhar – dizia a princesa.

Vitória não admitia que a filha rejeitasse o balé.

– Imagina! Onde já se viu uma princesa cozinhando? Você vai frequentar as aulas e será uma grande bailarina – dizia a rainha.

31 outubro

O VERDADEIRO DOM

Um dia, a princesa deu um jeito de provar à mãe que gostava mesmo de cozinhar. Ela pediu ao cozinheiro que lhe deixasse fazer o jantar, sem a rainha saber, e preparou uma comida deliciosa. Depois de provar o jantar, a rainha elogiou:

– Que maravilha de ensopado! Chamem o cozinheiro para dar os parabéns a ele.

– Eu fiz o jantar, mamãe! Pode agradecer a mim. Agora a senhora acredita que posso ser uma excelente cozinheira? – perguntou Sofia.

A rainha se convenceu do dom da filha e nunca mais a obrigou a fazer as aulas de balé.

A NOVA ROUPA DO REI*

Era uma vez um rei que adorava roupas. Certo dia, dois homens apareceram no reino apresentando-se como alfaiates capazes de fazer roupas belíssimas para o rei.

Quando soube da notícia, o rei pediu para falar com eles, que logo foram ao palácio:

– Vossa majestade, podemos fazer roupas deslumbrantes, que só os inteligentes conseguem ver.

O rei, então, pediu que os alfaiates fizessem a roupa, para que ele a usasse em um evento.

O GOLPE DOS ALFAIATES★

O que o rei não sabia era que os homens eram falsos. Eles ficaram a noite toda fingindo que costuravam a roupa do rei.

Dias depois, o rei enviou um súdito para conferir o trabalho dos alfaiates. Quando viu a mesa deles vazia, o súdito ficou preocupado, pois não conseguia ver roupa nenhuma. Mesmo assim, ele decidiu elogiá-los:

– Essa roupa está ficando magnífica. O rei ficará feliz.

03 novembro

O DESFILE DO REI PELA CIDADE

O dia da entrega da roupa do rei chegou. Quando os homens mostraram a roupa, que na verdade não existia, o rei ficou muito surpreso, pois não via coisa alguma. Para não parecer bobo, o rei fingiu que estava vendo a roupa e a elogiou.

No evento, todos que viam o rei diziam que ele estava belíssimo com seu novo traje.

Porém, ao ver o rei, uma criança gritou:

– O rei está sem roupa!

O rei acreditou no menino e se deu conta de que havia sido enganado. Mesmo assim, para não parecer bobo, continuou caminhando, orgulhosamente.

04 novembro

PIQUENIQUE NA ZOOLÂNDIA

A turma da Zoolândia foi fazer um piquenique no parque da cidade. Cada um levou algo diferente. Havia bolo de cenoura, biscoito de polvilho, torta de espinafre, pão de mel e suco de laranja. Eles estenderam uma toalha e observaram o lindo dia de sol. De repente, ouviram uma voz que não sabiam de onde vinha.

– Será que posso experimentar o pão de mel?

Era a formiga Filó, que tinha ido caminhar e viu aquele piquenique apetitoso. Hugo serviu-lhe pão de mel e suco e os amigos ficaram felizes com mais uma companheira.

A FORMIGA E A RAPOSA*

Era uma vez uma raposa chamada Tuca, que saiu de sua toca para ir até a floresta buscar alimentos. No caminho, ela sentiu algo incomodando suas patas.

– Mas o que será isso? Parece que há alguém fazendo cócegas em mim – disse Tuca.

Ela sacudiu, sacudiu e sacudiu, mas nada caiu. Então, a raposa continuou caminhando. Depois de dar mais alguns passos, Tuca sentiu um incômodo em sua barriga.

– Não é possível, eu já sacudi, sacudi e sacudi, e nada de essa criatura sair – falou a raposa.

Sem achar o que a estava incomodando, Tuca seguiu seu caminho.

A CARONA DA FORMIGA

Quando estava quase chegando na floresta, Tuca sentiu patinhas andando em seu pescoço e conseguiu pegar a criatura que andava pelo seu corpo. Era uma formiguinha.

– Você quer me matar de tantas cócegas, pequenina? – perguntou a raposa.

– Perdoe-me. Eu só queria uma carona até a floresta porque, com as minhas patinhas, eu chegaria lá só amanhã – disse a formiga.

– Por que não avisou? Eu levo você comigo, mas não fique escondida, senão terei que ir me sacudindo até chegar lá – falou Tuca.

Assim, as duas seguiram contentes pelo caminho.

O VENTO E O SOL*

Certo dia, quando se encontraram em uma tarde de outono, o Vento e o Sol começaram a conversar sobre suas qualidades.

O senhor dos ares, sempre muito vaidoso, disse:

– Todos falam que você é o rei, mas a minha força tem muito mais poder do que a sua.

– Amigo Vento, eu penso que nós dois temos qualidades e defeitos totalmente diferentes, e isso nos faz únicos – falou o Sol.

Mas o Vento não pensava como o Astro rei e, para provar sua possível superioridade, lançou um desafio ao ver um homem caminhando pela rua.

– Aposto que consigo tirar a blusa daquele homem mais rápido do que você – falou o Vento.

MEDINDO FORÇAS

O Vento soprou forte, mas, quanto mais ele soprava, mais o homem se enrolava na blusa para se proteger. Vendo que seu esforço era em vão, o Vento se acalmou e deu lugar ao Sol. Então, a estrela de quinta grandeza saiu e brilhou com todo o esplendor sobre o homem, que logo tirou a blusa por conta do calor. Quando terminou, o Sol disse:

– Não é com força que conseguimos as coisas, amigo, e sim com carinho e amabilidade.

09 novembro

UM DIA CHUVOSO*

Denis e Aurélio gostavam muito de brincar no quintal de casa. Todos os dias, depois de fazerem a lição, os dois se reuniam na casa de um deles e inventavam brincadeiras, andavam de bicicleta, construíam cabanas, montavam carrinhos com sucatas, entre outras coisas.

– É bom poder aproveitar os dias de sol e ficar se divertindo aqui fora, não é mesmo? – disse Denis.

– Concordo, amigo! O ar puro me faz muito bem – respondeu Aurélio.

Porém, ao se reunirem em uma dessas tardes, os amigos não puderam aproveitar o quintal, pois estava caindo uma forte chuva.

BRINCANDO DENTRO DE CASA

Aurélio ficou triste por não poder sair, mas Denis logo teve uma ideia.

– Podemos brincar de stop! – disse ele.

– O que é isso? – perguntou Aurélio.

– É simples: dizemos a palavra "stop" juntos e colocamos uma quantidade de dedos, contamos os dedos de acordo com as letras do alfabeto e, na letra em que cair, cada um deve falar o nome de um objeto ou bicho que comece com aquela letra. Quem não souber paga uma prenda, como imitar um cachorro ou dar dez pulos – explicou Denis.

Aurélio adorou a ideia. Os amigos passaram a tarde toda brincando, mesmo com a chuva caindo forte lá fora.

11 novembro

SE ESSA RUA FOSSE MINHA

Michele era uma menina muito alegre que adorava se reunir com os amigos da rua em que morava para contar histórias. Um dia, enquanto estavam sentados na calçada de sua casa, um deles perguntou:

– Se essa rua fosse de vocês, o que fariam com ela?

Eis o que Michele respondeu:

– Ah, se essa rua fosse minha, eu mandava ladrilhar com pedrinhas de brilhante para todos vocês passarem.

Os amigos adoraram a resposta da garota e resolveram enfeitar a rua com muitas fitas coloridas, pintar os muros com cores fortes e deixar tudo mais cheio de vida e alegria.

TREM DE VIAGEM

Olá, sou o Trem de Viagem.

Hoje em dia, não há muitos lugares em que você pode me encontrar, mas antigamente muitas pessoas viajavam para cidades distantes comigo. Em um trem como eu, você pode passar muito tempo para chegar de um lugar a outro. Por isso, tenho até restaurante nos meus vagões para ninguém ficar com fome durante a viagem!

Nas grandes cidades, você pode encontrar meus primos, os trens urbanos. Você já foi a algum lugar com um de nós?

Viajar de trem é ótimo. Além de poluir menos o meio ambiente, ainda permite que as pessoas vejam as cidades de um jeito diferente!

13 novembro

AMIGAS PARA SEMPRE*

Lúcia e Flávia eram muito amigas e ficavam sempre juntas, fosse na escola, nas aulas de teatro ou nos passeios. Elas eram como irmãs. Mas, quando o fim do ano se aproximou, as meninas tiveram uma notícia triste: a família de Lúcia ia se mudar para outra cidade.

– Vou sentir tanto a sua falta, amiga! – disse Flávia.

– Eu também sentirei saudades, querida amiga! – lamentou Lúcia.

A pequena Flávia teve uma ideia para guardar uma lembrança da amiga, e pediu a ela que levasse uma camiseta branca para a escola no último dia de aula.

14 novembro

UM GRANDE PRESENTE

Lúcia atendeu ao pedido da amiga e, no último dia de aula, levou uma camiseta branca. Durante o intervalo, Flávia pediu para Lúcia buscar algumas balas na cantina. Enquanto isso, ela ficou na sala com os colegas. Quando Lúcia voltou, a camiseta que ela havia levado estava toda colorida e cheia de mensagens dos alunos e até da professora, desejando sorte para ela na nova cidade.

– Flávia, jamais vou esquecer de você e de tudo que fez por mim – disse Lúcia, emocionada.

– Nossa amizade é eterna, amiga. E vou visitar você sempre! – respondeu Flávia.

15 novembro

O SUMIÇO DO SOL

Era uma linda noite estrelada, e a Lua brilhava bem forte no céu. Porém, quando chegou perto da hora de amanhecer, o Sol simplesmente não apareceu para clarear o dia.

– Já era para o Sol ter chegado, meninas. Estou preocupada, o que será que aconteceu? – a Lua perguntou às estrelas.

– Logo teremos que ir embora e não podemos deixar o dia na escuridão – respondeu uma delas.

– Já sei! Vamos mandar um cometa até o Astro rei para saber por que ele não apareceu – afirmou a Lua.

Assim, o cometa chegou rapidamente até a casa do Sol, mas o astro estava dormindo.

BRILHANDO NOVAMENTE

– Sol, levante! Todos esperam por você – disse o cometa.

– Não vou sair hoje! Ninguém gosta de mim, todos preferem a Lua...

Ele estava com ciúmes, pois pensava que as pessoas admiravam mais a noite do que o dia. Porém, o cometa deu um jeito de convencê-lo do contrário.

– Que bobagem! Todos o adoram e precisam de você. Imagine: o que seria da Terra sem a sua presença? Nada sobreviveria. E você aquece o coração das pessoas.

Convencido de sua importância, o Sol levantou e voltou a brilhar com toda sua energia para alegrar mais um dia na Terra.

CINDERELA*

Cinderela era uma linda moça que vivia como escrava da madrasta, que tinha duas filhas.

Certo dia, elas foram convidadas para o baile em que o príncipe escolheria a futura princesa, mas a madrasta de Cinderela a encheu de trabalho, impedindo-a de ir.

Enquanto lamentava triste e sozinha, sua fada madrinha apareceu e fez um encantamento para que ela pudesse ir ao baile. Logo a jovem estava linda e pronta para a festa, mas antes de partir, a fada avisou-lhe que à meia-noite a mágica acabaria.

18 novembro

O GRANDE BAILE

Chegando ao baile, o príncipe ficou encantado com Cinderela, e eles dançaram a noite toda. Porém, à meia-noite, ela teve que sair correndo e acabou deixando seu sapatinho de cristal para trás.

Apaixonado, o príncipe procurou pela dona do sapato em todo o vilarejo. Chegando à casa de Cinderela, a madrasta tentou impedi-lo de fazer a garota experimentar o sapato, mas ele insistiu e descobriu que aquela humilde moça era a sua tão sonhada princesa. Então, eles se casaram e viveram felizes para sempre.

19 novembro

PELAS ESTRADAS DO BRASIL

Numa bela tarde ensolarada, o Caminhão e o Expresso Turístico se encontraram para jogar conversa fora.

– Sabe, às vezes eu sinto saudade de atravessar este país pelos trilhos – disse o Expresso Turístico.

– Amigo, quer alegria maior do que ver o sorriso das crianças? Aproveite e deixe que eu faça o serviço pesado! – sorriu o Caminhão.

O Expresso Turístico respirou fundo e abriu um largo sorriso. Fazer pequenos passeios para divertir a criançada dentro da cidade também o deixava muito feliz!

20 novembro

GINCANA NA ESCOLA

Os alunos estavam empenhados para vencer a gincana que a escola havia organizado.

– Não vai ter para ninguém! Minha sala vai ganhar com facilidade – disse Fabrício.

– Que nada! Você ainda não viu a força dos alunos da minha sala – falou Flavinha.

A escola toda se mobilizou. Afinal, além de ganhar uma viagem, a sala que vencesse a competição também organizaria a festa de fim de ano.

Assim que a disputa teve início, a sala de Fabrício começou vencendo no futebol, mas a sala de Flávia virou o jogo, ganhando a gincana. Por fim, todos se divertiram, e a festa foi incrível.

ISRAEL AVENTUREIRO*

Certa vez, o pequeno Israel resolveu explorar a floresta perto de sua casa. Muito corajoso, colocou alguns biscoitos, uma garrafa com água e uma lanterna em sua mochila e adentrou a mata. Sua mãe já havia falado para ele não ir longe porque poderia se perder, mas o menino era teimoso e quis arriscar.

"Eu não tenho medo de nada! Quero me aventurar" – pensava ele, enquanto ia cada vez mais longe.

Israel andou tanto que não se deu conta da hora. Quando percebeu, já havia escurecido, e ele não conseguia achar o caminho de volta para casa.

AMIGO LOBO

Sentindo frio, Israel sentou-se sobre as folhas todo encolhido. De repente, ouviu o barulho de um animal se aproximando e ficou com muito medo.

– Eu deveria ter ouvido minha mãe – murmurou.

Israel se apavorou quando viu um lobo chegar perto dele e tremia cada vez mais. Porém, para sua surpresa, o lobo sentou-se ao lado dele, como se quisesse carinho, e começou a aquecer o garoto.

Muito cansado, o menino dormiu. Quando acordou, o lobo havia ido embora. Israel também conseguiu voltar para casa, depois de viver uma grande aventura.

23 novembro

A VOLTA AO MUNDO EM 80 DIAS*

No dia 2 de outubro de 1872, membros do Reform Club, em Londres, jogavam cartas como de costume e comentavam sobre o roubo que ocorrera no Banco da Inglaterra. Eles espantavam-se com o fato de que o ladrão fugira sem deixar vestígios. Phileas Fogg, um solitário e sistemático cavalheiro que estava entre eles, falou que o ladrão estaria escondido em qualquer canto do planeta. Fogg completou dizendo que era possível dar a volta ao mundo em 80 dias.

Os homens entusiasmaram-se e apostaram 20 mil libras que Phileas não seria capaz de tal feito. Ele aceitou o desafio e partiu no mesmo dia.

A VIAGEM*

O detetive Fix passou a perseguir Phileas por acreditar que o ladrão de banco era ele. O apostador viajou com seu criado francês, Jean Passepartout.

Na Índia, por problemas na linha ferroviária, Fogg adquiriu um elefante para continuar a jornada. No caminho, salvaram a princesa Aouda, que seria sacrificada. Ela se juntou aos dois na viagem.

O trio chegou atrasado a Nova Iorque e perdeu o navio para Liverpool. Fogg alugou um navio que os levou até a costa inglesa. Fix levou Fogg para a prisão quando chegaram ao Reino Unido.

25 novembro

VENCENDO A APOSTA

Ao descobrirem que o verdadeiro ladrão já estava preso, Phileas foi solto. Ele e seus dois companheiros partiram para Londres. Porém, atrasaram-se cinco minutos, pelo menos pensaram isso.

Ao ver Fogg tão triste por perder a aposta, Aouda o pediu em casamento, e ele aceitou. Quando foram acertar a cerimônia no Reform Club ainda no mesmo dia, descobriram que haviam chegado da viagem um dia antes.

Assim, Phileas Fogg venceu o desafio e provou sua teoria, dando a volta ao mundo em 80 dias!

26 novembro

O CÃO E O OSSO

Certa vez, um cão, feliz por ter encontrado um osso grande e suculento, estava atravessando uma ponte quando olhou para baixo. A imagem dele segurando o osso refletiu na água, mas ele pensou que havia um outro cão carregando um osso ali.

"Se eu pegasse aquele osso, ficaria com dois só para mim!"– pensou o cachorro.

Com essa ideia na cabeça, ele olhou para baixo e abriu a boca para latir e afugentar o outro cão. Nessa hora, ploc! Seu osso caiu no rio. Desejando ter dois ossos, ele ficou sem nenhum.

Moral da história: quem muito quer nada tem.

27 novembro

POCAHONTAS

Pocahontas era uma jovem índia que vivia em uma tribo com seu pai.

Longe de lá, um homem chamado John Smith foi escolhido para comandar uma expedição para novas terras. Assim que chegou, Smith foi explorar aquele lugar desconhecido. Durante a caminhada, ele conheceu Pocahontas. Eles logo se tornaram amigos e, com o tempo, apaixonaram-se.

Smith e seus colonos travaram uma guerra contra a tribo de Pocahontas por causa das terras. John Smith foi gravemente ferido e, por isso, ele teve de voltar para a Inglaterra, separando-se de sua amada Pocahontas.

OS PEQUENOS PIRATAS

Júlio e Mário chegaram correndo ao navio.

– Capitão! Encontramos o mapa do tesouro! – exclamaram Mário e Júlio.

– Levantar velas, marujos! Vamos navegar! – disse Léo.

O capitão Léo guiou sua tripulação por águas turbulentas, repletas de tubarões, atravessando terríveis tempestades, até chegarem a uma imensa ilha no meio do oceano. Os piratas ancoraram o navio e começaram a seguir as indicações do mapa: para a direita, para a esquerda, atrás da grande árvore...

– É aqui! Encontramos o grande tesouro! – falou Júlio.

Então, os pequenos piratas abriram o baú e se deliciaram com os saborosos biscoitos da vovó.

29 novembro

O URSO LISTRADO★

O urso Dom não aguentava mais ouvir os outros animais caçoarem dele por conta de sua cor. Na verdade, Dom não tinha uma cor única, ele era preto com listras brancas.

Sua mãe dizia que, quando Dom ainda estava na barriga dela, uma zebra tomou o pote de mel que ela estava comendo. Por isso, o ursinho havia ficado com as listras da zebra.

– Preciso dar um jeito nisso, mamãe. Não sei mais o que fazer para os outros bichos pararem de caçoar de mim – lamentou o ursinho.

– Filho, o importante é quem você é por dentro, e não sua aparência – a mãe acalmou o pequeno urso.

LISTRAS ESPECIAIS

Dom tentava se convencer disso, mas era difícil, pois os outros bichos não o deixavam em paz.

– Diz aí, Dom, você se alimenta de mel ou de capim? – perguntava o macaco para irritar o urso.

Dom nunca respondia a esses comentários. Até que, um dia, enquanto os animais caçoavam dele, uma linda zebra se aproximou e disse:

– Não ligue para eles! Suas listras fazem de você um urso diferente e especial.

A zebra deu uma lição nos outros bichos, tornou-se grande amiga de Dom e mostrou a todos que não se deve julgar ninguém por sua aparência.

O QUEBRA-NOZES★

É Natal! Clara e seu irmão, Fritz, estavam na sala ansiosos pela chegada do padrinho e do sobrinho dele. Quando o padrinho chegou, trouxe presentes para todos. O sobrinho dele só chegaria mais tarde.

Clara adorou o seu quebra-nozes com roupas de soldado, mas seu irmão ficou com um pouco de ciúmes e quebrou o brinquedo da irmã.

O padrinho tentou consertá-lo e garantiu que tudo ficaria bem.

Depois do jantar, quando já era hora de ir para a cama, Clara acabou adormecendo na sala, ao lado de seu novo brinquedo.

02 dezembro

A GRANDE AVENTURA DE CLARA

No esconderijo onde havia deixado seu brinquedo, Clara deparou-se com muitas ratazanas. Quebra-nozes e seus soldados lutaram contra as ratazanas, atirando sapatos nelas, que saíram dali correndo. Em seguida, o bosque transformou-se em uma estufa de inverno, e o corajoso quebra-nozes se tornou um príncipe.

Clara e Quebra-nozes visitaram juntos o Reino das Neves e também o Reino dos Doces. Mas, de repente, Clara acordou e percebeu que aquilo tudo tinha sido apenas um sonho. No dia seguinte, ao se despedir de seu padrinho e do sobrinho dele, notou que o garoto era o príncipe do seu sonho.

UM DIA NO PARQUE DE DIVERSÕES*

A criançada do bairro ficou muito animada com a chegada de um divertido parque de diversões.

– Que delícia! Quero andar na roda-gigante – disse Matias.

– Pois eu não vejo a hora de passear no carrossel – falou Alice.

Todos estavam felizes e não se falava em outra coisa pelas ruas. Porém, o pequeno Pedro não compartilhou da alegria das demais crianças.

– Pedro, em qual brinquedo do parquinho você vai andar? – perguntou Dudu.

– Em nenhum. Minha mãe não tem dinheiro para comprar o ingresso do parque – respondeu o garoto, triste.

04 dezembro

A BOA AÇÃO

Matias e Alice ficaram de coração partido com a resposta do menino. Os amigos não iam conseguir se divertir vendo Pedro do lado de fora do parque. Juntaram as moedas que tinham e compraram um ingresso para o garoto poder entrar e se divertir junto com eles.

– Poxa, vocês são meus melhores amigos mesmo! Nunca vou esquecer essa boa ação – disse Pedro, contente.

E, assim, os três passaram uma divertida tarde no parque de diversões.

05 dezembro

CORAÇÃOZINHO

Eu sou a boneca Coraçãozinho. Tenho esse nome porque meu coração está sempre transbordando de alegria.

Quando encontro com alguém, nunca me canso de perguntar:

– Como está o seu dia? Cheio de alegria?

Eu gosto de aproveitar todos os momentos em todos os lugares. Seja em casa, na escola, na casa da vovó, na rua com os amigos... Com tudo me divirto! Até comendo sorvete de palito!

Momentos como esses me deixam muito contente e tornam a vida muito mais alegre!

FUKITA

Olá, sou a Fukita, um fusquinha cor-de-rosa. Já faz vários anos que eu fui fabricada, mas meu dono é bastante atencioso e cuida direitinho de mim.

Hoje em dia, já não encontramos muitos carros como eu andando pelas ruas da cidade. Por isso, quando saio para passear, todos ficam me olhando. Afinal, eu sou uma gracinha!

Eu acho o máximo rodar por aí conhecendo lugares novos. Sem contar que adoro viajar. Ando um pouco mais devagar que os outros carros, mas não me incomodo com isso. Vou aproveitando as paisagens e chego em segurança aonde preciso ir.

07 dezembro

O PAPAGAIO JOSÉ*

Era uma vez um papagaio muito confuso chamado José. Ele adorava fazer favores aos bichos da floresta, apesar de ser bem atrapalhado. Certo dia, a girafa Mel fez um pedido a ele:

– Papagaio louro do bico dourado, leva essa cartinha ao meu namorado?

José gostava de ajudar os animais, mas ficou em dúvida se poderia atender ao pedido de Mel. Afinal, ele sabia que cartas para namorados sempre davam problema.

– Dona girafa, confesso que esse não é o tipo de favor que mais me agrada. Muitas vezes os namorados não estão em casa ou estão dormindo – falou José.

VÁRIAS DÚVIDAS

– Por favor, papagaio, preciso muito que meu namorado receba este recado – insistiu Mel.

José se rendeu ao apelo da girafa, mas quis saber o que faria se não conseguisse entregar a cartinha:

– Mel, e se ele estiver dormindo?

– Você bate na porta, José – explicou a girafa.

Ainda em dúvida, o papagaio perguntou:

– Mas, e se ele estiver acordado?

– Então, você deixa recado, oras – concluiu Mel.

Esse José era mesmo confuso. Mas, ainda assim, ele conseguiu entregar a carta ao namorado da dona girafa e a deixou muito feliz.

09 dezembro

BRINCADEIRA DE NATAL*

Era uma vez uma menina chamada Paula, que adorava chocolate. Ela não podia ver um bombom, que queria comer.

Quando as festas de fim de ano se aproximaram, a mãe de Paula colocou uma linda árvore de Natal na sala de casa, cheia de bolas coloridas, enfeites e bombons pendurados nos galhos.

– Que delícia, mãe! Posso pegar um? – perguntou Paula, com os olhos arregalados.

– Não, Paulinha. Só podemos tirar os chocolates da árvore na noite de Natal – respondeu a mãe, para a decepção da garota.

A TRAVESSURA DE PAULA

Paula não se conteve e planejou, junto com o primo, Dudu, um jeito de pegar os bombons.

– Dudu, vamos até a janela. Você faz um apoio com as mãos e eu subo para pegar o chocolate para nós – explicou a garota.

O primo concordou, e lá foram os dois para perto da janela. Paula era magrinha, mas Dudu não a aguentou, e a menina acabou caindo sobre a árvore.

– Paula, minha filha! Por pouco você não se machucou! Você precisa aprender a esperar – disse a mãe de Paula.

Depois da aventura, Paula aprendeu a lição e passou a controlar sua vontade de comer doces.

11 dezembro

O PRÍNCIPE SAPO★

Era uma vez um rei que tinha adoráveis filhas. Uma delas gostava de ir ao bosque para se distrair.

Certo dia, a princesa estava por lá brincando quando sua bola de ouro acabou caindo no lago. Então, ela começou a chorar.

– Linda princesa, por que está chorando? – perguntou o sapo, que estava observando a moça.

– Quem está falando comigo? – ela perguntou, mas logo percebeu quem era. – Ah, é você, sapo! Estou chorando porque minha bola caiu nesse lago.

– Posso pegá-la se você quiser, mas se eu o fizer, o que me dará em troca?

12 dezembro

A PROMESSA DA PRINCESA*

– Posso lhe dar o que quiser: minhas pulseiras, anéis, pedras preciosas...

O sapo pensou e lhe disse:

– Não quero pedras preciosas nem joias. Gostaria de ser o seu companheiro.

A princesa concordou, mas não tinha a intenção de cumprir o que prometera. Assim, o sapo conseguiu recuperar a bola da linda princesa. Ao pegar a bola, a princesa saiu correndo, sem agradecer.

No dia seguinte, enquanto a princesa e o rei estavam jantando, eles escutaram alguém bater à porta. Ao abri-la, a princesa teve uma grande surpresa: era o sapo querendo entrar.

CUMPRINDO A PROMESSA

Ela fechou a porta e voltou à mesa, pálida. A princesa contou o que havia acontecido ao pai, que respondeu:

– Vá e receba o sapo. Cumpra o que você lhe prometeu.

Então, a princesa recebeu o sapo, e ele pôde desfrutar daquela mesa farta. Quando eles subiram ao quarto, a princesa, com muita raiva, pegou o sapo e o atirou contra a parede.

De repente, aquele sapo transformou-se em um belo rapaz. O rapaz contou que o feitiço de uma bruxa o tinha aprisionado no corpo de um sapo, e que ele era, na verdade, um príncipe.

Algum tempo depois, a princesa e o príncipe se apaixonaram, casaram-se e viveram muito felizes.

CURUPIRA

Certa vez, um caçador entrou na mata. Ele já havia conseguido o suficiente para comer por vários dias, mas continuou caçando.

De repente, ouviu um assobio agudo, ficou tonto e desmaiou. Ao acordar, ele viu um indiozinho de cabelos vermelhos, dentes verdes e pés virados para trás: era o Curupira. Ele disse que estava punindo o caçador, que havia sido ganancioso. O assobio voltou, e o caçador desmaiou mais uma vez. Quando retomou os sentidos, estava em casa e havia aprendido a lição.

15 dezembro

PIETRA E O SABIÁ KINHO*

Era uma vez uma garotinha muito carinhosa chamada Pietra. Um dia, ela encontrou um sabiá machucado em seu quintal e, depois de cuidar dele, ela o colocou em uma gaiola e deu a ele o nome de Kinho. O pássaro recebeu esse nome porque tinha um bico pequenino, um biquinho.

Pietra dava muito carinho a Kinho, mas ele vivia triste e quieto.

– O que você tem, passarinho? – questionava Pietra.

Certa noite, quando todos já estavam dormindo, Kinho abriu um espaço entre os ferros da gaiola e voou. Mas não foi muito longe, pois gostava de Pietra.

A FUGA DE KINHO

Pensando na garotinha, Kinho se aconchegou na árvore que havia no quintal da casa e pegou no sono. No dia seguinte, quando Pietra viu a gaiola vazia, ela ficou muito triste e chorou. Mas, quando ela ouviu o canto de Kinho vindo da árvore do quintal, logo gritou:

– Sabiá, estou esperando. Você não vai voltar?

E, Kinho, comovido, respondeu em forma de canto:

– Não chores, porque eu vou voltar.

Assim, Pietra entendeu que não precisava prender o pássaro na gaiola, pois Kinho poderia viver livre, morando na árvore e, mesmo assim, ficar perto dela.

ARRUMANDO AS MALAS*

– Escova de dentes? Pijamas? Chinelos?

– Já está tudo na mochila, mãe! – Luana respondeu prontamente.

– Meu coelhinho! – choramingou Talita, assim que se sentou na cadeirinha.

Depressa, Otávio entrou na casa para buscar o bichinho de pelúcia da filha mais nova.

– Ai, mãe! Esqueci o meu livro! – exclamou Luana.

Dessa vez, Bianca saltou do veículo e abriu a porta da casa. Quando voltou, trazia também os biscoitos favoritos das meninas.

– Agora, nossa viagem de férias vai começar! – o pai sorriu, tirando o carro da garagem.

18 dezembro

CONTRATEMPOS

Depois de alguns quilômetros de viagem, Otávio parou o carro no acostamento.

– O pneu furou, meninas! Fiquem quietinhas aí dentro enquanto eu o troco.

O que ninguém esperava era que uma garoa iria começar a cair. Quando voltou para o carro, Otávio já estava todo molhado.

– Xixi, mamãe! Xixi! – a pequena Talita exclamou, aflita. Eles precisaram parar o carro novamente. Depois disso, Luana ainda ficou enjoada, e Talita derrubou suco no banco. Por conta disso, eles precisaram parar diversas vezes no caminho.

– Será que chegaremos ao nosso destino? – Otávio perguntou a Bianca, sorrindo.

FINALMENTE, FÉRIAS!

– Tia Pati! – Talita exclamou de dentro do carro assim que viu a tia do lado de fora.

– Demoramos um pouco, mas conseguimos chegar! – Bianca sorriu.

Depois de vários contratempos, a família chegou à fazenda dos tios, onde passariam quatro semanas para aproveitar as férias.

As meninas andaram a cavalo, nadaram e brincaram enquanto os adultos conversavam e descansavam nas redes debaixo das árvores. Foram dias maravilhosos (mas Otávio preferiu nem imaginar como seria a viagem de volta!).

20 dezembro

PIQUENIQUE DESASTRADO

– Maçã, uvas, suco, sanduíche e, huuum, bolo de morango! Minha parte preferida do piquenique. Agora é só levar tudo para o jardim.

Depois de arrumar as frutas, o suco e os sanduíches sobre a toalha, o ursinho Téo foi buscar o bolo. Distraído, ele pisou em um formigueiro. As formiguinhas começaram a subir em Téo, e ele começou a sentir cócegas. Com isso, acabou pisando na bandeja dos sanduíches. As frutas saíram rolando, e o suco caiu na toalha! Por fim, Téo escorregou e caiu sentado sobre toda aquela bagunça.

E o bolo? Caiu bem na cabeça dele!

21 dezembro

A TRADIÇÃO DA VOVÓ LARA*

Na casa da vovó Lara, todo ano era uma festa quando o Natal se aproximava. Os netos ficavam ansiosos para ir até lá. Afinal, a avó mantinha uma tradição que eles adoravam: escondia os presentes pelo seu imenso jardim.

Vovó Lara comprava uma lembrancinha para cada neto e espalhava os pacotes pelo jardim repleto de flores, plantas e árvores, assim como fazia com os ovos de chocolate na Páscoa. Na noite de Natal, todos se reuniam e, após a ceia, os pequenos saíam procurando seus presentes. Naquele Natal não foi diferente.

PROCURANDO PELOS PRESENTES

– Achei um! Mas não é o meu! Está com o nome da Sílvia – disse Evandro, o neto mais velho, apontando a caixa para a prima.

– Eba! É o filme que eu queria. Muito obrigada, vovó! – agradeceu a menina ao abrir o embrulho.

Aos poucos, cada neto ia achando seu presente ou o presente do primo, do irmão e trocando entre si. Com isso, a vovó Lara ia ficando cada vez mais feliz, realizada e agradecida por poder reunir sua família em harmonia naquela data tão especial, com uma brincadeira que havia passado de geração para geração.

UM CONTO DE NATAL*

Como pode alguém não gostar do Natal? O rico e avarento Ebenezer Scrooge não gostava. Bob Cratchit, seu empregado, era sua única companhia no escritório que ele mantinha em Londres.

Quando seu sobrinho o convidou para passarem a ceia de Natal juntos, Scrooge recusou rudemente. Contudo, ele não contava com a aparição de seu sócio, Jacob Marley, à noite. Já fazia sete anos que ele havia morrido!

O fantasma contou que, por não ter sido um homem bom em vida, não podia ter paz na morte. Mas avisou Scrooge que ele ainda poderia reverter a situação.

24 dezembro

O ESPÍRITO DO NATAL PASSADO

Jacob avisou Scrooge que três espíritos apareceriam para ele. O primeiro, o Espírito do Natal Passado, era um velho em miniatura com um facho de luz na cabeça, uma túnica branca e um chapéu em forma de apagador de vela que ele segurava em uma das mãos. Ele levou Scrooge de volta no tempo e relembrou seu passado solitário no internato. Em seguida, mostrou Scrooge como aprendiz de um escritório, quando ainda gostava do Natal. Depois, já avarento e egoísta. Por fim, o espírito foi embora e Scrooge se viu de volta no quarto.

25 dezembro

O ESPÍRITO DO NATAL PRESENTE

Um homem gigantesco e alegre era o Espírito do Natal Presente. Ele levou Scrooge para assistir às comemorações natalinas de seus contemporâneos. Primeiro, foi a da família feliz e unida de seu funcionário Bob. Ele pôde ver que falta de dinheiro e a deficiência física do pequeno Tim não os abatiam.

Em seguida, foram à casa do jovial sobrinho de Scrooge, que divertia seus convidados contando sobre seu desagradável tio. O Espírito do Natal Presente desapareceu quando deu meia-noite.

26 dezembro

O ESPÍRITO DO NATAL FUTURO

Scrooge começou a gostar das visitas e deduziu que o próximo seria o Espírito do Natal Futuro. Bem diferente dos anteriores, ele tinha o rosto coberto e levou Scrooge para seu próprio túmulo.

Após a visita dos três espíritos, Scrooge acordou renovado. Ele se deu conta de que ainda era Natal. Então comprou um peru gigantesco e mandou entregar na casa de Bob. Passou a noite de Natal com o sobrinho e se divertiu muito.

Scrooge voltou a amar o espírito natalino e se tornou generoso com todos que precisavam, inclusive a família de seu empregado Bob Cratchit e principalmente o pequeno Tim.

27 dezembro

O APRENDIZ DE FEITICEIRO*

Era uma vez um feiticeiro que estava à procura de um ajudante. Certo dia, ele encontrou um garoto que aceitou se tornar um aprendiz.

O feiticeiro o levou para o castelo e lhe ensinou várias coisas, inclusive alguns truques de mágica. Lá, ele limpava as salas, pegava água no poço, varria o chão...

Um dia, o feiticeiro precisou sair, e o aprendiz ficou cuidando do castelo.

Naquele momento, o garoto teve uma ideia: transformou uma vassoura em sua ajudante. Então, ela, agora com dois braços, começou a tirar a água do poço.

O FEITIÇO QUE DEU ERRADO

Feliz com o truque, o aprendiz tirou um cochilo. Quando acordou, estava quase se afogando, pois a vassoura não parava de pegar água no poço.

Ele ficou desesperado ao ver toda aquela bagunça.

– E agora, como explicarei isso ao feiticeiro? – perguntou a si mesmo.

A única ideia que teve foi de quebrar a vassoura. Porém, ao fazer isso, cada pedaço da vassoura se transformou em outras vassourinhas, que logo começaram a trabalhar.

De repente, o feiticeiro chegou e, mesmo zangado, desfez toda a mágica, e tudo voltou ao normal. O aprendiz certamente aprendeu a lição.

O CIRCO CHEGOU!*

Um grande circo havia chegado à cidade e encantou as crianças. Elas não viam a hora de assistir ao espetáculo.

Quando o circo se instalou, os ingressos foram vendidos rapidamente. Na noite de estreia, uma fila imensa já se formava na entrada.

– Eu quero muito ver o mágico tirando um coelho da cartola – dizia a pequena Júlia.

– Eu vou dar muita risada com a apresentação dos palhaços – falava João.

Quando as portas se abriram, crianças e adultos se acomodaram nas arquibancadas. Pipoca e algodão-doce eram os pedidos preferidos de todos.

MAGIA PURA

– Respeitável público, com vocês, toda a magia do Circo Espetacular! – anunciou o anfitrião.

Os olhos das crianças brilhavam diante de tantas cores, brilho e magia. Os palhaços foram os primeiros a se apresentar e arrancaram muitas gargalhadas do público. Logo em seguida, os mágicos encantaram a todos com números surpreendentes. O grande final ficou por conta dos malabaristas, que prenderam a atenção do público com uma apresentação emocionante.

– Nunca me diverti tanto – falou João.

– Quando eu crescer, quero trabalhar no circo – disse Júlia, encantada.

O ANO CHEGA AO FIM

A mamãe coelha abraçou seus filhotes. O papai urso deu um beijo na bochecha do ursinho.

– Mamãe, o que vai acontecer depois da meia-noite? – perguntou o leãozinho, olhando os fogos de artifício brilharem no céu.

– Vai começar um novo ano, meu pequenino. Muitos outros dias virão, e você poderá comer novos alimentos, ir à escola, conhecer novos amigos, brincar no parque, passear no riacho... Fazer tudo o que você gosta e descobrir muitas coisas novas. Mais um ano para viver coisas boas, de novo!

O leãozinho deu um salto e rugiu pela primeira vez. Um ano novo estava começando!

– Feliz ano novo! – ele sorriu.